正史里的广西

邓平 著

正史里的广西

明代卷

广西人民出版社

图书在版编目（CIP）数据

正史里的广西．明代卷 / 邓平著．-- 南宁：广西人民出版社，2025.4. -- ISBN 978-7-219-11898-6

Ⅰ．K296.7

中国国家版本馆 CIP 数据核字第 2024EH7290 号

ZHENGSHI LI DE GUANGXI · MINGDAI JUAN

正史里的广西 · 明代卷

邓平　著

总 策 划　赵彦红　萨宣敏
执行策划　李亚伟
责任编辑　卢秋韵
责任校对　梁小琪
封面设计　王程媛　牛广华
版式设计　李彦媛

出版发行　广西人民出版社
社　　址　广西南宁市桂春路 6 号
邮　　编　530021
印　　刷　广西民族印刷包装集团有限公司
开　　本　889mm × 1240mm　1 / 32
印　　张　5.75
字　　数　120 千字
版　　次　2025 年 4 月　第 1 版
印　　次　2025 年 4 月　第 1 次印刷
书　　号　ISBN 978-7-219-11898-6
定　　价　29.00 元

《正史里的广西》编委会

总序

为深入学习贯彻习近平文化思想，认真落实全国宣传思想文化工作会议精神，贯彻落实习近平总书记在文化传承发展座谈会上的重要讲话精神以及习近平总书记关于广西工作论述的重要要求，在广西壮族自治区党委宣传部组织策划下，广西人民出版社推出了五卷本《正史里的广西》。

盛世修史是中华民族流传几千年的传统，在这一传统中，我们的文化得以传承有序，我们的文明得以连绵不绝，我们的民族精神得以生生不息。以“二十四史”为核心的正史是展现中华民族起源和发展的核心典籍，在中华文明史上有着极其重要的地位。

所谓正史，指的是自西汉司马迁撰《史记》到清朝张廷玉等撰《明史》，首尾相连，记述历代王朝兴衰的二十四部纪传体史书。在汗牛充栋的中国古代史书中，正史具有核心地位。《四库全书》史部文献分十五类，以“正史类”居首，定义为“正史体尊，义与经配”，就是说正史的权威性可以与儒家经书相匹配。正史的概念始于唐初，涵盖范围随着历史发展陆续增加，到清朝中叶经乾隆皇帝“钦定”，确立为二十四部，亦称“二十四史”。1921年，北洋政府宣布将清末民初柯劭忞所撰《新元史》列入正史范围。另外，民国前期赵尔巽等撰的《清史稿》虽未通过南京国民政府审查，但由于编纂体例和定位相近，当代研究者习惯上也将它作为“准正史”看待。因此，又出现了“二十五史”“二十六史”这样的概念。

广西历史源远流长，无论是史前社会还是先秦时期，抑或是秦汉以后，都有着厚重且引以为傲的历史文化。“二十四史”等正史，便存有众多关于广西历史文化的重要资料。梳理这些传世典籍中有关广西的内容，从某种意义上讲，不仅是直接延续了广西地方文脉，更是间接守护了中华民族的文化血脉。同时，中国地方志源远流长，历代修志绵延不绝，成为中华民族特有的优秀文化传统。正所谓“国有史，地有志”，广西地方志进一步丰富了广西历史文化内容。

回顾历史，早在20世纪80年代，在已故著名学者莫乃群（1911—1990年）先生主持下，广西壮族自治区通志馆就编纂了约一百五十万字的《二十四史广西资料辑录》（广西人民出版社1989年出版），为学者研究古代广西历史提供了很大方便。我们这套《正史里的广西》，就是在上述资料辑录的基础上撰写而成的。关于撰写情况，简单说明如下：

第一，《二十四史广西资料辑录》从“二十四史”中抄录的与广西有关的资料十分完备，但仅是遵照正史原书篇章次序排列资料，并未根据资料性质分类归纳，也没有对资料进行注释或翻译。因此它主要是为学术研究服务的，不便普通读者阅读。《正史里的广西》则对“二十四史”所载相关内容突出重点，提炼专题，结合“二十四史”以外的史料，参考学术界研究成果，补充背景和细节，从而系统地向广大读者介绍与广西有关的历史文化知识。

第二，“二十四史”终结于《明史》，因此《二十四史广西资料辑录》缺乏清代内容。当时，广西壮族自治区通志馆另外编纂了《〈清实录〉广西资料辑录》（与广西壮族自治区图书馆合编，广西人民出版社1988年出版），篇幅更为庞大，共六册，近两百万字。《正史里的广西》清代内容以与“二十四史”体例、性质基本相同的《清史稿》为准，保证全书编纂原则一致，涵盖中国古代全部王朝，前后规模大体相当，更加方便读者阅读。

第三，“二十四史”中关于广西的资料虽然相当丰富，但受限于“正史”性质和取材的影响，内容以政治、军事为主，经济和文化方面的记载比较单薄，且有遗漏。鉴于这种情况，有个别篇章在选题和内容上都超出了“正史”范围，或者说为“正史”所未载，而选取了地方志或者碑刻等文献资料。我们觉得，尽管《正史里的广西》以“正史里的广西”为题，但在某些问题上对“正史”记载有所拓展，也是合理或可以接受的。

第四，结合新时代的需求，《正史里的广西》的撰写思路遵循三项原则：首先，从铸牢中华民族共同体意识、传承中华优秀传统文化、推动中外文明交流互鉴的角度来选择书写对象；其次，挖掘历史人物、事件与广西的关联，致力于讲述中华文明发展中的广西故事；最后，点线结合，既注重对人物、事件的书写，也注重对广西历史脉络的构建。

《正史里的广西》按照时间顺序分为五册，分别由四位作者撰写。尽管各位作者的写作风格不尽相同，但都力图做到学术性与通俗性的统一，以求勾勒出广西文明史的演变脉络，呈现出立体、多元、富于动态的广西历史图景。

作为中华文明版图中的“南疆锁钥”，广西的特殊坐标既体现在地理区位的门户作用，更彰显于边疆民族地区维护国家统一、推动文化共生的历史实践。这种跨越时空的忠诚守护与文明交融，正是铸就中华民族生生不息坚实根基的核心力量。相信通过这套《正史里的广西》，读者可以更全面、深入地理解广西，从中国乃至世界文明的视域去审视广西，感知广西人民在漫长时代里披荆斩棘、一路走来的艰难辉煌历程，对广西各民族交往交流交融的历史和广西在维护民族团结、边疆安宁的贡献有更深刻的体认。

张　帆

（中国史学会副会长，北京大学历史学系原主任，统编高中历史教材《中外历史纲要（上）》主编）

目录

分封藩王：靖江王的由来

夏四月乙丑，封皇子樉为秦王，棡晋王，棣燕王、橚吴王、桢楚王、榑齐王、梓潭王、杞赵王、檀鲁王，从孙守谦靖江王。

——张廷玉等《明史》卷二《本纪第二·太祖二》

元明更替，天下底定，朱元璋为巩固明朝政权，开始大规模地分封诸子，将自己的子侄封为藩王，镇守全国各处要地。

分封靖王，藩屏家国

明太祖朱元璋子嗣众多，洪武三年（1370年）首批分封共有九子一侄孙。皇子朱樉（shuǎng）为秦王，就藩西安府（今陕西西安）；朱棡（gāng）为晋王，就藩太原府（今山西太原）；朱棣为燕王，就藩北平（今北京），后为明成祖，入帝王世系；朱橚（sù）为吴王，就藩开封府（今河南开封）；朱桢为楚王，就藩武昌府（今湖北武昌）；朱榑（fú）为齐王，就藩青州府（今山东青州）；朱梓为潭王，就藩长沙府（今湖南长沙）；朱杞为赵王，年幼即去世，无子，分封取消；朱檀为鲁王，就藩兖州府（今山东兖州）。侄孙朱守谦为靖江王，就藩静江府（今广西桂林）。桂林地处岭南，联两广之交，上可固湘楚，下可扼安南，乃军事战略要地，朱元璋极其看重，为此特派藩王镇守。

受封之时，诸王尚且年幼，朱守谦在诸王中身份尤为特殊，是唯一以侄孙身份受封的藩王。以伦理纲常为基石的明朝分藩体系，强调父子、君臣等纲常关系，通过分封皇子为藩王来巩固皇权，维护中央集权，确保国家稳定与家族统治的延续。这也体现在册封朱守谦的诏书上："稽古帝王，抚有方夏，

明朝万历年间桂林图

必茂建亲支，所以惇族固本，其来尚矣。……今朕既为天子，追念吾兄，以尔守谦，兄之孙也，俾王靖江，以镇广海之域！”

受封后，朱守谦继续与诸皇子一起接受皇家的悉心教导，很快成长为翩翩少年。他日常既有学富五车的大儒教导学习经史，又与皇太子、秦王、晋王、楚王前往中都凤阳府（今安徽凤阳）操练武事，但他性格乖张，已显露出跋扈之迹，这为他后来的命运转变埋下了伏笔。

洪武九年（1376年）十一月，朱守谦正式前往桂林，于诸王中率先就藩。在此之前，静江府已改为桂林府。朱元璋册封了广西都指挥使徐成之女为朱守谦的妃子，以婚姻联盟的形式助其巩固王权。随后，朱守谦及其随从、属官、护卫一行人浩浩荡荡从南京出发直抵桂林。那里有朝廷赐予他的王府宅邸、庄田，还配备属官协助他处理大小事务，配备甲兵保卫他的安全。精心的政治考量难掩血浓于水的亲情，护送的官员回京城报告说守谦已到达长沙，太祖想起从小跟在身边的侄孙如今分离远行，不觉眼泪直流。他不放心侄孙，于是又嘱咐靖江王府的文武官员，说："守谦尚未至壮年，童心未泯，现在既然已经受命镇守西南，都依赖尔等文武官员辅佐。若以守谦已有能力为由，就不与之谋，不导之以理，那就不是贤人君子了。宜勉励他学习，引导他向善。若他有不听从的地方，要从容开喻，务必成就他的品德。守谦本来年幼，之所以令其行至地方，就是因为有你们这些文武大臣来为他保驾护航。你们一定谨遵皇帝我的命令，尽心辅佐，切勿懈怠。"

为迎接朱守谦的到来，桂林地方官员早早就着手改建元顺帝潜邸为靖江王府，修成后的宫殿楼宇雕梁绣柱、画栋飞甍、金碧辉煌。朱守谦抵达之日，广西布政使、广西都指挥使等地方大员以及属吏、耆老、士绅早已等候多时，恭敬地迎接这位年轻气盛的藩王和即将启幕的靖江王室。

初代藩王，行事乖张

没有叔祖父的约束及皇室森严制度的制约，朱守谦似乎没有了太多的忌惮，也有可能是他父亲在他幼年时谪死桐城，让他与皇室心生嫌隙。总之，他开始肆意妄为，凌虐桂林。朱守谦虽通诗书，却亲近奸佞小人，横行不法，百姓深受其苦。朱元璋知道他在地方上的不法行径后，曾将其召还京师，告诫他要改过自新。但是朱守谦不仅不思悔改，反而作诗讽刺，颇有埋怨遭受了不公平待遇之意。他自幼长于宫廷，从未亲历战火，却总以父辈功勋自矜——他常听人提起洪都之战的传奇，知道那是父亲朱文正一生最辉煌的时刻：旌旗漫天蔽日、马蹄声声急促之时，正是父亲领导着洪都城的官兵百姓上下一心，运用天才般的军事智慧，以百折不挠的坚毅、无坚不摧的勇敢，扛住了陈友谅一次次汹涌的进攻，苦苦坚守洪都近三个月。这场著名的以少胜多的防御战争也成了明军由劣势转为优势的关键节点，对明朝的最终建立起到了决定性作用。父辈的功绩与长期优渥的生活遮蔽了年轻藩王的眼睛，他并没有承袭父亲团结军民的优秀品格，反而与父亲后来的骄横奢侈如出一辙，很快，京城的叔祖父朱元璋就再次洞悉到了桂林发生的一切。

朱元璋本就生性多疑，明朝建国功臣多在“胡惟庸案”“蓝玉案”后被诛杀。他被朱守谦的行径气得怒火中烧，下令废其为平民，并让其回凤阳老家耕田反思，希冀其能够知错就改，知农事艰难而珍惜富贵。七年期满，朱元璋才恢复朱守谦的爵位，令他去云南，并派其妻弟徐溥一同前往。朱守谦到达云南后，故态复萌，暴敛如旧，军民都埋怨不已，于是再次被召还京，然后又被遣回凤阳老家。在老家，他又因强行取用牧马获罪，这次被禁锢京中直到洪武二十五年（1392年）去世。他的儿子朱赞仪依制袭封靖江王。

二代藩王，恭敬有度

朱赞仪作为第二代靖江王，袭封前就被皇家精细地抚育。朱赞仪恭敬谨慎、敏而好学，皇帝有意栽培锻炼他，派遣他去探望诸王，游历湖南、湖北、四川、河南、山西、北京、山东等地，使他知晓各地山川概况与不同的人情风貌。永乐元年（1403年），朱赞仪就藩桂林，成祖朱棣承袭了父亲定下的优待靖江王的传统，对其赏赐丰厚。

长史萧用道兢兢业业、尽心尽力地辅佐朱赞仪。朱赞仪初到桂林之时，祭祀物品本应由王府备办，由于时间仓促来不及备办，暂时转由地方供给。随着他到桂林日久，一切都已安顿下来，端午之际朱赞仪想再次让地方官员备办祭祀物品时，萧用道语重心长地劝诫道："我们初到王府时，时间紧急，祭祀祖先的各类物品来不及自己做准备，事急从权，让地方官府替我们准备了。但是现在已经过去半年时间，王府上下一切都妥当、井然有序，就不能再因为祭祀之事责成地方官府及百姓准备。并且祭祀祖先在于诚心诚意，如果祭祀物品都不能自己准备，而让别人代替准备的话，这也不是至诚至性的行为啊！更重要的是，要是没有经过朝廷的允许而擅自役使百姓、骚扰地方，不符合国家的制度，恐怕会带来严重的影响和可怕的后果啊！”朱赞仪并没有因为萧长史指出自己的错误行为而大发雷霆，反而从善如流，接受了他的建议，改由王府自备祭祀物品。后来，萧长史还进一步提出八项建议，希望朱赞仪能够“慎起居”“寡嗜欲”“勤学问”“养德性”“简鞭朴之刑”“无侵下人之利”“常接府僚以通群情”“简择谨厚之人以备差遣”，即平常注重修身养性，不要贪图享乐，保持勤学好问的态度，培养高尚的情操，同时，减轻刑罚，不要侵夺百姓的利益，在日常的政务处理中要常常接触王府的僚属们以了解实际民意，并选择那些品质优良的人来帮助自己做事。对此，朱赞仪都一一照做。此外，朱赞仪还减免王府山庄田租，赈济地方，施行

广西桂林明代靖江王陵

了有利于减轻百姓负担的一些政策。

永乐六年（1408年），朱赞仪去世，成祖朱棣辍朝一日以表哀悼。从朱守谦到朱赞仪，再袭替庄简王朱佐敬、昭和王朱规裕、端懿王朱约麒、安肃王朱经扶、恭惠王朱邦苧（zhù）、康僖王朱任昌、温裕王朱履焘、宪定王朱任晟（温裕王叔父）、荣穆王朱履祜，朱履祜之后有朱亨嘉、朱亨歅（yīn）相继袭位，至此靖江王共传十一世，历十三王。朱元璋赐给每个藩王一首诗，藩王后代排列辈次依据此诗，靖江王室为“赞佐相规约，经邦任履亨，若依纯一行，远德袭芳名”。历代靖江王室成员正是按照该诗叠次列辈，直到明王朝结束。

朱守谦家族世代袭替靖江王，镇守桂林，为明朝经略广西地区奠定了基础。虽然初代靖江王朱守谦乖张暴戾，但是继任的靖江王多数能恪守藩职。历代靖江王在维护地方秩序、管理军务等方面发挥了一定作用，客观上对明代广西边疆的稳定有所助益。

广西布政使司的设立

洪武初，建都江表，革元中书省，以京畿应天诸府直隶京师。后乃尽革行中书省，置十三布政使司，分领天下府州县及羁縻诸司。……终明之世，为直隶者二：曰京师，曰南京。为布政使司者十三：曰山东，曰山西，曰河南，曰陕西，曰四川，曰湖广，曰浙江，曰江西，曰福建，曰广东，曰广西，曰云南，曰贵州。

——张廷玉等《明史》卷四十《地理志一》

洪武时期，明太祖朱元璋改革地方行政制度，废除了元朝的行中书省，在全国共建立十三个布政使司，分管天下的府、州、县等各地方。

初设广西布政使司

现在的广西地区，元朝初时设置广西两江道宣慰使司，属湖广行中书省管辖范围，到至正末年，设置广西行中书省。洪武初时，王朝新立，百废待兴，与民休养生息为要务，于是暂且沿袭元朝的行政制度，广西行中书省不变，后增加广西都卫来管理广西地方。洪武九年（1376年），社会渐趋稳定，朝廷正式把行中书省改为承宣布政使司，初设广西布政使一名，左、右参政各一名。数年后分设左、右布政使，增设左、右参议各一名。广西承宣布政使司管辖的地域与今天的广西地区比较相近，北与湖南、贵州交界，东与广东交界，西与云南、贵州交界，南亦与广东交界。

具体的级别设置上，据《明史·志第二十一·广西》记载，广西的府主要有桂林府、平乐府、梧州府、浔州府、柳州府、庆远府、南宁府、思恩军民府、太平府、思明府、镇安府。其中桂林府，是元朝的静江路，明初改静江府，洪武五年（1372年）改为桂林府。平乐府，与今桂林市平乐县、恭城瑶族自治县、荔浦市以及贺州市范围大致吻合。梧州府，为今梧州市主要区域。浔州府，为今贵港市主要区域。柳州府，为今柳州市主要区域及来宾市部分区域。庆远府，为今河池市主要区域。南宁府，为今南宁市主要区域与崇左市部分区域。思恩军民府，为今百色市南部地区。太平府，为今崇左市主要区域。思明府，为今凭祥市附近区域。镇安府，为今百色市南部与云南接壤地区。另外，还有直隶布政使司所辖的田州（今广西田阳）、归顺州（今广西靖西）、泗城州（今广西凌云一带）、向武州（今广西向都一带）、都康州（今广西都康）、龙州（今广西龙州）、江州（今广西江州）、思陵州（今广西思陵一带）、凭祥州（今广西凭祥）、安隆长官司（今广西隆林及贵州安龙部分区域）等，错落分布于广西境内。

承宣政令，管理民政

承宣布政使司是地方最高一级行政机构，在明代，它与按察使司、都指挥使司一起管理地方的政治、经济、军事等方方面面的事务。三司各有侧重，承宣布政使司掌管全省行政事务，按察使司掌管全省刑狱，都指挥使司掌管全省军政。

作为一省行政中枢，布政使司统揽全省政务，朝廷各项政令皆经其传达四方。在吏治方面，布政使司需严格考核所属官员，每逢官员任满之期，必详加察访其政绩优劣，经多方核实后，将考评结果呈报巡抚、巡按，再转呈吏部与都察

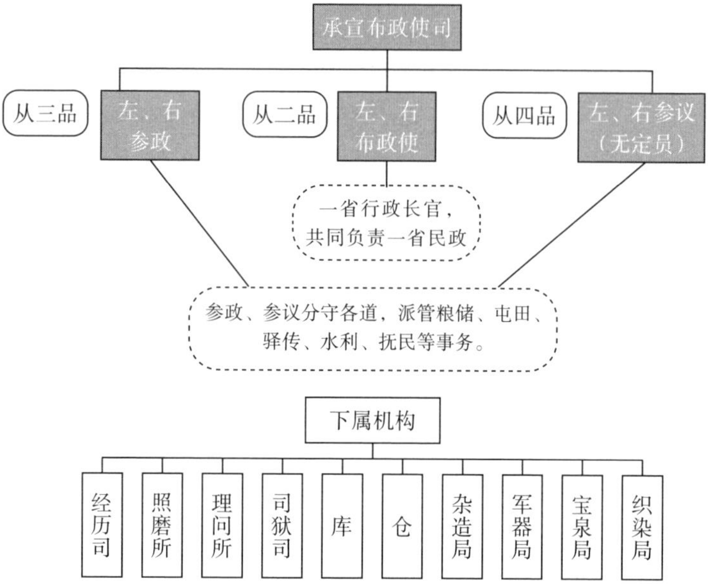

承宣布政使司行政机构

院定夺。每三年，布政使须亲率各府、州、县正官赴京朝觐，面圣述职。在财政民政方面，布政使司掌管全省户籍田亩，每十年编造赋役黄册，详录人丁数目与土地增减，作为征税派役之本。同时，其需根据各地土地贫瘠程度与人口多寡，均衡赋税徭役，使民力得均。此外，宗室俸禄、官员薪俸、师生廪粮、军士粮饷等，皆由其按时发放，不容延误。布政使司还肩负教化抚民之责，既要主持祭祀典礼，以正礼制；又要赈济灾荒，遇水旱瘟疫则奏请蠲（juān）免赋税，开仓济民。对于鳏寡孤独者，需按时周济；对孝子节妇、德行出众者，则予以旌表，以励风俗。为细化政务管理，布政使司下设参政、参议等官，分守各道，专管粮储、屯田、驿传、水利、抚民等事务，与布政使相互配合，共理一省之政。如此层层分工，使地方政务得以有序运转，百姓各得其所。

与布政使司地位几乎等同的按察使司职责与作用也不容忽视。按察使司，全名提刑按察使司，设按察使一人，下有属官。按察使司主要是掌管全省刑名按劾之事，纠察出贪官污吏，制止奸恶横暴，平息罪案官司，昭雪冤屈，振扬风纪，澄清吏治。如果遇到大案要案，就要会同都指挥使司、布政使司商议决定，再上报给巡抚、巡按，听从中央相关部、院裁定。其副使、佥事等属官，也要分道巡查兵备、提学、抚民、清军、驿传、水利、屯田、招练、监军等各种事务。按察使司与布政使司之间的职责既明确分工，又密切合作，都是为了更好地治理各地方。

身寄边疆，守土尽责

全国各承宣布政使司有经历司经历一人、都事一人，照磨所照磨一人、检校一人，理问所理问一人、副理问一人、提控案牍一人，司狱司司狱一人，库大使一人、副使一人，仓大使一人、副使一人，杂造局、军器局、宝泉局、织染局大使与副使各一人，所辖衙门依据各省自身情况各设不同，广西大致类同，稍有减少。

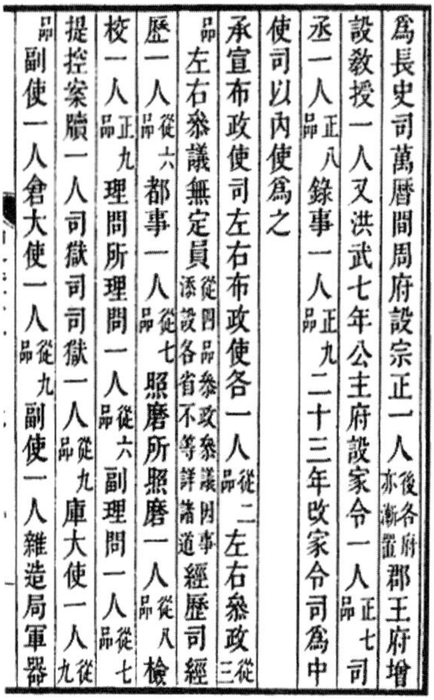

爲長史司萬曆間周府設宗正一人後各府亦漸置郡王府增
設教授一人又洪武七年公主府設家令一人正七品司
丞一人正八品錄事一人正九品二十三年改家令司爲中
使司以內使爲之
承宣布政使司左右布政使各一人從二品左右參政從三
品左右參議無定員從四品參政參議因事添設各省不等詳諸道經歷司經
歷一人從六品都事一人從七品照磨所照磨一人從八品檢
校一人正九品理問所理問一人從六品副理問一人從七
品提控案牘一人司獄司司獄一人從九品庫大使一人從九
品副使一人倉大使一人從九品副使一人雜造局軍器

《明史》中关于承宣布政使司官制的记载

广西布政使司有左布政使、右布政使各一人，下有左参政、右参政、左参议、右参议等属官辅佐。广西左布政使掌管全省事务，吏治、政教、钱粮都属于其管辖范围；右布政使辅佐，原专理清军（明前期以卫所的军士驻扎全国各地，如果卫所军户全家死亡或者逃走，官府需要派人去原籍勾补他的亲族或者贴户来顶替空缺，称为“清军”），之后微有变制。右布政使以司官分守各道。其中桂平分守道，驻桂林；苍梧分守道，驻梧州；左江分守道，驻浔州；右江分守道，驻柳州。分守各道的或是参政，或是参议，没有定衔。成化九年（1473年），朝廷添设了广西管粮参政一名，隆庆时，以粮道兼理盐法，万历时裁撤后始以盐粮道归属右布政使兼辖。

布政使司的官员们平常要处理好各种事务，以保百姓们能够安居乐业，另地方有警时负责出兵平叛。明朝，广西地方官员们至关重要的任务就是平息此起彼伏的动乱。如洪武中期，柳州府融县（今分属广西融水、融安）有五百余人群聚劫掠地方，广西布政使司右参政耿文彬率民兵会同桂林右卫指挥韩观的军队平息了这次动乱。而明朝广西地区大大小小的战役，让不少布政使司官员们血洒疆场，埋骨他乡。浔州府在洪武时就已经显现出动荡骚乱的态势，再者该府连接着柳州、象州、梧州、藤县等地，山溪险峻，地方常有不安，广西布政使司有参议在出兵平息该地动乱时阵亡。并且，布政使有利地方管理的考量有时也很难获得朝廷的支持。正德年间，广西布政使俞深奏地方连年用兵，费用浩繁，乞求将未解赃罚银三千七百余两存留备用。朝廷或许是考虑到允许银子存留备用会被援以为例，引发其他地方竞相仿效，或许是担心地方官员们以此为由中饱私囊，俞深这一看似符合地方财政短缺实情的请求没有得到允许，仍然让解京库交收。

布政使司是明朝地方的重要管理机构，而广西布政使实乃地方首领，专阃（kǔn）大员，有守土之责。他们有着极其重要的承上启下作用，是中央与地方的沟通桥梁，负责承接好朝廷的各项政令，下达给各府、州、县，以全局为核心谋划，统筹管理好各项事宜。在处理过程中，他们要及时地将地方各项情形反馈给中央，以便中央及时调整政策。尤为重要的是，布政使负责户籍、土地、赋役、文教等事关民生的重要工作，处理结果直接关系地方稳定。历代广西布政使为官广西之际，大多做出了一定的努力，促进了边疆的开发与进一步发展。

土司制度：沿袭旧制，因俗而治

广西瑶、壮居多，盘万岭之中，当三江之险，六十三山倚为巢穴，三十六源踞其腹心，其散布于桂林、柳州、庆远、平乐诸郡县者，所在蔓衍。而田州、泗城之属，尤称强悍。种类滋繁，莫可枚举。

——张廷玉等《明史》卷三百十七《广西土司传》

历代王朝都十分重视对包括广西在内的广袤南方地区的统治。唐朝时，广西已开始实行羁縻政策，以当地首领为都督、刺史，即由土酋管理民族地区，从而将广西纳入国家行政体系内。宋朝时，史籍记载：“因其疆域，参唐制，分析其种落，大者为州，小者为县，又小者为峒，凡五十余所，推其长雄者为首领，籍民为壮丁。”这种制度将民族聚居区根据规模大小分为州、县、峒（“峒”一词作为民族聚居的地理范畴已经出现）等不同级别。朝廷任命各地首领“知州”“知县”“知峒”等官职，这些首领的官职准予世袭。到元朝，实行土官制度，形式上仍依靠少数民族首领管理当地。明朝继承元朝土官制度并加以完善，继续加强对西南地区的管理。

崇山峻岭，土民众多

明朝时，广西崇山峻岭之间聚居着壮族、瑶族等少数民族，他们世代繁衍，有的地方土酋势力强大，能够统领一方。洪武初年，对于归附的各首领，朝廷都以原官职授予。土官官衔各不相同，大多在宣慰司、宣抚司、招讨司、安抚司、长官司等机构任职。有的土官管理地方，也改用府、州、县之名。明朝强化对土官们的约束，土官的子孙袭替必须遵从朝廷的管理政策，前往中央受职。后准予土官“缴呈勘奏”，要求其“纳粟备振”，说明朝廷在土官管控上日趋复杂。

彼时广西既有中央的布政使、按察使、都指挥使等官员坐镇，又有显赫的土官家族参与地方治理。广西境内顺其自然存在两种不同的管理体系。一种是位于桂林、平乐、浔州、梧州等地的，主要由朝廷按照全国通行的府、州、县行政管理模式照管，间存有少量土官。数量庞大的壮族、瑶族等百姓集中居住在桂林的古田、平乐的府江（今广西永福、平乐）、浔州的藤峡等地。另外一种即为土司制度，原叫土官制度，它主要施行于广西的西部、南部地区，集中施行于左、右江流域。总的来说，广西境内繁衍生息着众多不同的民族，朝廷保持着对众土司的管控，以达到管理该地区民众的目的。嘉靖年间，朝廷开始恢复旧有管理制度，在府、州、县等任职的土官属验封清吏司管辖，在宣慰司、招讨司等任职的土官属武选清吏司管辖。前者归布政使司统领，后者归都指挥使司统领，由此土司管理制度在广西较为固定，文武相维，与中原地区一致。

明朝的土司众多，其中土官更是遍及溪峒，明人方孔炤《全边略记》记载：广西土官一百九十七名，包括思恩、田州、思明、镇安知府四人，思明、结安等三十三处知州三十三人，左州同知一人，罗白、凭祥等六处知县六人，上林县丞一人，怀远主簿一人，桂平等二处典史二人，永平寨、波罗里大洞等十三处巡检十三人，白石寨、镇峡寨等一百零二处副巡检一百零二人。嘉靖初年，武定州（武靖州）知州一人，田州吏目一人，古零等二十八处巡检二十八人，改流知州二人，养利、上石知县二人。另有崇善、永康载于册内。

因势利导，因俗而治

由于地方局势复杂，土司众多，所以朝廷管理地方的政策并不是一成不变的。洪武二年（1369年），地方官员向朝廷报告说："庆远府地方，连着八番溪峒，所管辖的南丹、宜山等处，宋、元之际都是用土酋安抚使来统领他们。现在大军攻下广西了，土酋安抚使莫天护首先来归附，宜沿用宋朝和元朝的制度，继续任用这些土酋安抚使来管理当地，人们更加容易信服，国家驻守在此地的士兵也随之可以减少，从而减轻国家的负担。"明太祖朱元璋同意了这个建议，下诏把庆远府改为庆远南丹军民安抚司，设置了安抚使、同知、副使、经历、知事等官职各一名，以莫天护为同知。但随着河池县丞盖让被杀害，朝廷又罢除了安抚司，重新设置府、卫来管理当地。

土司中有不少杰出者熟悉民情、眼光长远，所思所虑具有极强的前瞻性与战略性，其建言献计甚至影响中央的管理政策。正统四年（1439年），南丹土官莫祯在奏报中说道："庆远府所辖的东兰等三州，均由土官治理，这么多年来，百姓一直安居乐业，并没有太大的动乱。而宜山等六县，由流官治理，

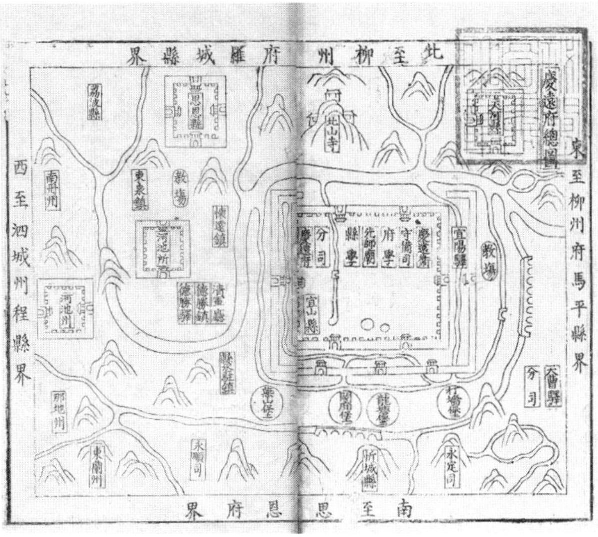

明代庆远府总图

溪峒中居住的众人，经常出入为寇，骚扰地方。究其原因，都是流官能够安抚城郭官署附近的良民，却无法管束溪峒众人，任由他们依靠天然的地理环境为屏障，祸害其他百姓，而毫无有效的应对之策。”莫祯向朝廷自荐希望授其本州土官之职，在流官总理一府之事的前提下，由他专门负责处理“土蛮”之事。他上疏建言：“把居住在山岭溪峒的人迁入平地；挑选出有名望的人作为头目特加抚恤，督率策励百姓的生产生活；各村各寨都设置社学，让民众接受教化；每三五十里设置一堡，派土兵守备，凡有动乱之时，就率众平息。”皇帝觉得他的意见很值得嘉许，如果真能如其所言办理，可以节省国家的财政费用，于是敕谕地方的总兵官酌情处理。

上思州土官黄中荣在洪武初年归附朝廷，受官知州，但是他的子孙反叛无序、归服无常。弘治十八年（1505年）上思州改置流官，隶属南宁府。正德六年（1511年），土目黄镏纠集民众攻城，都御史林廷选捕获他，将他关进了监狱。随后他越狱叛乱，官军前去抓捕他的时候，他佯装投降然后攻克州城，地方复陷动乱，百姓生产生活被阴霾笼罩。官军又再次捕获他，黄镏服罪被杀。嘉靖元年（1522年），都御史张嵿说："上思州本设有土官，后来改置流官，于是导致土人作乱。应沿袭旧例，挑选土吏中贤良的人任职。"朝廷予以采纳，仍旧以土官承袭管理当地。

守望相助，天下一家

明朝广西土司带领的土兵十分骁勇善战，其中最有名的一支土兵被称为"俍兵"，原本居住在田州一带。广西俍兵的威名当时早已响彻广西境内。正统二年（1437年）时，官员山云向朝廷转奏浔州府平南等县耆民的话："大藤峡等地附近经常有贼寇出没，抢劫居民，道路阻绝。近山的荒田也被占据。但是左、右两江地方，人多耕地少，听说那里的俍兵向来骁勇，贼寇都害怕他们。如果能够选拔任用当地的头目到此地驻守，屯种近山的荒田，把守住贼寇出没的道路，不出几年，地方就会宁静。"俍兵由此被派往浔州府地区驻守。此后，广西俍兵

明代岭南民兵盔甲样式

频繁被朝廷征调于战守，尤其在成化年间后的南宁地区，社会持续动荡，俍兵既承担日常治安维护，又可以在紧急时充当前锋，成为朝廷倚重的地方军事力量。

洪武初年，皇帝在处理与土司的关系上，还是主张以和平相处的方式为主。宋朝平定了岭南地区，在广西左、右江流域的溪峒设立五寨，分别为太平、古万、迁隆、永平、横山，各自统领着州、县、峒。元朝时仍旧是五寨，后来被废弃。洪武元年（1368年），征南将军廖永忠攻克广西，左江太平土官黄英衍等派使者携带着印信到平章杨璟处投降，特表归顺朝廷。皇帝还特意向杨璟询问黄氏等土官统辖区域内的治理情况，皇帝说:“瑶人的习惯、性情虽然与我们不尽相同,但他们也有渴望生存、畏惧死亡的心理,这怕是与我们是相通的。如果用安稳的政策去抚慰他们,待之以诚心,用儒家的道理去教导他们,难道他们会不受到感化吗?”就派使者携带诏书谕告左、右两江流域,宣扬其意。

概而言之,明代广西土司制度既维系了地方稳定,又促进了各民族间的交融共生。这一制度不仅参与塑造了广西当地的政治格局,更在长期的历史实践中,促进了壮、汉、瑶、苗等各民族的经济文化交流,为后世留下了“因俗而治”的治理智慧,对中华民族共同体的形成与发展产生了深远影响。

岑瑛：土臣之英杰者

正统三年进瑛职为知府，仍掌州事。瑛有谋略，善治兵，从征蛮寇，屡有功，故有是命。……瑛自袭父职，频年领兵于外，多所斩获。历升知府、参政、都指挥使。年且八十，尚在军中。既卒，鐩以诰请，帝念其劳，特赐之。

——张廷玉等《明史》卷三百十八《广西土司传二·思恩》

岑瑛（1386—1478年），思恩州知州岑永昌之子，才干优长。广西土官在岑瑛时期，声名鹊起，而他本人被冠以“土臣之英杰者”的称号。

袭职知州，升任知府

据《土官底簿》记载，岑永昌原来是土官岑坚的第三个儿子，有兄岑永泰（即岑瑛的伯父）随父在军中效力。洪武二年（1369年），朝廷颁发思恩州印信给岑永泰，准许其家族世代承

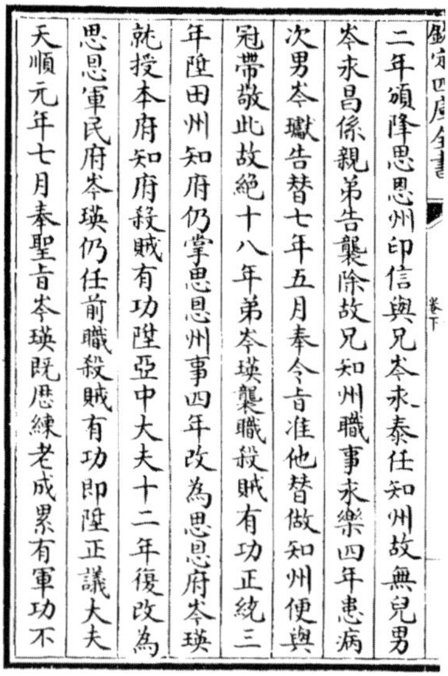
欽定四庫全書　卷下

二年頒降思恩州印信與兄岑永泰任知州故無兒男
岑永昌係親弟告襲除故兄知州職事永樂四年患病
次男岑瓛告替七年五月奉令旨准他替做知州便與
冠帶敬此故絶十八年弟岑瑛襲職殺賊有功正統三
年陞田州知府仍掌思恩州事四年改為思恩府岑瑛
就授本府知府殺賊有功陞亞中大夫十二年復改為
思恩軍民府岑瑛仍任前職殺賊有功即陞正議大夫
天順元年七月奉聖旨岑瑛既歷練老成累有軍功不

《土官底簿》中关于岑瑛的记载

袭知州之职。岑永泰去世后无子，就由其亲弟岑永昌承袭知州之职。永乐初年，岑永昌亦染病去世，岑瑛之兄承袭了知州之职，其兄病终无子，最后岑瑛承袭知州之位，开始了他恢宏的政治生涯。

与其父隐匿人口，偷漏赋税，差点招致左都督杨文征讨不同，岑瑛秉持着积极向外的交往政策。宣德初年，岑瑛派遣弟弟向朝廷进献马匹。到正统初年，岑瑛以有谋略、善治兵、听从朝廷的征召四处平叛而卓有功绩，朝廷对其予以提拔，从原任思恩州知州升为知府，仍然掌管着思恩州各种事务。

岑瑛由知州提拔为知府，激化了他与田州府知府岑绍之间的矛盾。原本思恩州只是州而已，受田州府的管辖，现岑瑛升为知府，岑瑛、岑绍二人平起平坐，岑绍对岑瑛自是不服。岑瑛又想兼管田州事务，二人遂交恶，各自上本具奏，相互攻击，权力之争愈演愈烈。朝廷下令广西总兵官及三司商议处理这起土司争斗事件。镇守广西的安远侯柳溥等分析本土实情后，建议升思恩州为思恩府，与田州府互不隶属，二府的土官各自守其疆土，以此杜绝岑瑛、岑绍二人的纷争与土地的相互侵占。此建议被朝廷采纳，思恩州被升为思恩府，思恩府与田州府剑拔弩张的紧张局面暂时得到缓解。

文善谋略，武善治军

岑瑛具有长远的战略眼光，他以一己之力推动思恩州发展成思恩府，并将思恩府治所迁移到繁华冲要之处。首先，他以思恩府的原治所所处位置偏僻狭隘，而桥利堡交通便捷，是瑶族人民居住之地，并且已经建有城墙与官署，不需要大兴土木再次修建为由，向朝廷请求迁移思恩府治所于桥利堡。朝廷同意了他的请求。接着，他进一步请求将思恩府改为思恩军民府，得到了允许。然后，他又于管辖地方设立了儒学，有教授一名、训导四名，自此，当地争相习诵诗书蔚然成风。思恩府进入快速与内地政治文化趋同的时期，这都得益于岑瑛的建议与请求。

岑瑛在政治上有建树，善于治军，与地方官员的关系也非常融洽。景泰四年（1453年），总兵官陈旺就跟朝廷请求免除思恩土兵的税粮，他上奏说："思恩土兵被调赴桂林巡防守卫，与思恩府相距甚远，难以再兼顾耕种农田，他们要缴纳的税粮应当暂且免除。"鉴于思恩土兵的有力守卫，朝廷同意暂时免除哨守桂林的思恩土兵所须缴纳的税粮。时至六月，岑瑛亲自率领思恩府俍兵头目韦陈威及众俍兵等到城操练，武场旌旗猎猎，刀光凛凛，俍兵们整齐肃穆，一番演练下来行云流水、气势如虹，由是军威大振。朝廷大为嘉赏此举，升了岑瑛官阶，赐予他彩缎等珍贵物品。而俍兵头目韦陈威等也一并被授予了官职。此外，岑瑛也不负朝廷厚望，在地方征剿中奋勇当先，屡获战功，被升为从二品散官。

岑瑛不仅在政治上颇有建树，惩治自己的至亲也公正无私。因常年领兵跟随明朝的官军出征，征战在外，岑瑛无法管理府事，就让自己的儿子岑镔代任知府，行使地方长官的职权。岑镔非但未能按照父亲的要求认真学习，尽职尽责地处理全府之事，反而召集一些无赖小儿，整日里胡作非为，肆意大行不法之事。思恩府的情况很快就被岑瑛知晓，他不禁气血上涌、怒从中来，想到自己常年辛苦在外征战，为的就是家乡平安，子孙能够世袭富贵，没想到自己的儿子如此不争气，只会鱼肉乡里，这让他有何颜面上见朝廷，下对百姓。冷静地思虑一番后，他没有护短徇私，而是迅速揭发儿子的恶行，并及时向总兵官请求返乡，表示自己要亲自处理逆子，替朝廷清除后患，为百姓消除怨恨。岑镔知道父亲要回来整治自己的消息后，日夜惶恐不安，惊惧不已，想起父亲平日里严厉的要求、强硬的作风，等待他的可能是无情的处罚，随即自缢而亡。岑瑛大义灭亲的事情被官员上报给朝廷，皇帝再次嘉奖他能够割舍父子之情，义无反顾地选择效忠于国家，还降下敕书来安慰他。

戎马一生，荣辱安然

思恩府的土兵常年应国家征召进行操练、平息动乱，军事负担较重，同时在家乡还有缴纳赋税的义务。安远侯柳溥向朝廷再次请求免去思恩府需缴纳的秋粮二千三百余石。户部也将思恩土兵常年操练与缴纳赋税冲突的事情上奏，认为思恩土兵存留下来在广西操练的人数有一千五百人，耽误了这些土兵种田缴纳粮税，请求分为三班，留下五百人操练即可，其余土兵应当放回家乡，开展正常的耕种，每年可征收粮食一千五百余石。等到地方宁靖的时候，放回去耕种田地予以全征，不再减免他们的纳粮份额。朝廷准许了这一建议，这也是削弱地方军事权力的策略。

虽然被削弱了军事力量，但思恩土军也一直在发挥重要的作用。天顺元年（1457 年），广西总兵官武进伯朱瑛等奏田州府头目吕赵伪称自己为敌国大将军，大张旗帜，鸣钲擂鼓，率众劫掠了南丹州，占据了向武州。兵部让岑瑛等想办法擒拿剿灭之，叛乱快速得到平息。虽然思恩土兵在战后被遣还归乡，但是岑瑛仍然因其巨大的贡献积累了很高的声望，镇守的宦官朱祥请求朝廷酌量实情升岑瑛为都司。皇帝知道岑瑛老成练达，累积了无数军功，于是改授他为都指挥同知，仍然听从总兵官等的命令，随时依令调用，任命岑瑛的儿子岑鐩为知府。

岑瑛在军中虽然常胜，但是战争的局势千变万化，败绩也未尝没有。如在征战大藤峡的过程中，一日，岑瑛作为土官都指挥，与当时的总兵官泰宁侯陈泾、太监朱祥、巡按御史吴麟、按察司副使周璹（shú）等正在梧州城内商议调兵之策，不想大藤峡起义军半夜突袭梧州城，进入知府衙门的所在地劫官库，放出囚犯，杀死官兵无数，还放火烧城，城中顿时烟火冲天。而起义军更是趁乱劫持了副使周璹，威胁只要官兵出动就杀死他。情急之下，由于兵力有限，陈泾等只能拥兵自卫，不敢发一兵一矢来反击。好在起义军并不是有意加害众官员，他们只是把随军器械和赏银货物等带走，出城后也依照约定放还周璹。只是致仕布政宋钦，当时居梧州城，企以一己之力劝降义军，被杀，训导任璩亦死。皇帝听闻此次事件后震怒，说梧州不过是一座小城，总兵官、守镇太监、巡按御史以及三司都在，且拥重兵驻扎，仍然遭敌蔑视，遇到大敌的话岂不是更

广西平果弄良岑氏墓石人

加糟糕。官军虽颜面扫地，但是多数官员仍然保有性命，岑瑛在这次战争中也幸运地存活了下来。

到了成化年间，朝廷派遣官员携带敕书奖谕岑瑛父子的功劳，还赏赐了银币。皇帝又听从总兵官赵辅的建议，给岑瑛的父母妻子以诰命。成化十四年（1478年），岑瑛去世。

纵观岑瑛的一生，自承袭土官官职以来，兢兢业业、戎马一生，凭借自己的努力，把思恩州升为思恩府、思恩军民府，扩大了其管辖的范围更促进了地方的繁荣发展。他积极响应国家的号召，跟随明朝的军队到处征战，立下汗马功劳，逐步升为知府、参政、都指挥使等，近八十岁时仍在军中效力。在他的影响下，思恩建立学校，当地教育也曾一度异常兴盛，后来人们在修建儒学的碑记中还记载了他在教育普及上所做的贡献。岑瑛在政治、军事、文教方面所取得的成就，与明朝“土流并治”的政策密切相关。这种土官、流官并重的治理模式，大大加速了广西地区的开发进程。

孝穆纪太后：从土官之女到皇太后

孝穆纪太后，孝宗生母也，贺县人。本蛮土官女。成化中征蛮，俘入掖庭，授女史，警敏通文字，命守内藏。时万贵妃专宠而妒，后宫有娠者皆治使堕。柏贤妃生悼恭太子，亦为所害。帝偶行内藏，应对称旨，悦，幸之，遂有身。万贵妃知而恚甚，令婢钩治之。婢谬报曰病痞。乃谪居安乐堂。久之，生孝宗，使门监张敏溺焉。敏惊曰："上未有子，奈何弃之。"稍哺粉饵饴蜜，藏之他室，贵妃日伺无所得。

——张廷玉等《明史》卷一百十三《后妃传一·孝穆纪太后》

孝穆纪太后（？—1475年），本为土官之女，聪明机智，诞皇子一名，被封为妃。她解决了明宪宗绝嗣的问题，避免了一场因王朝继承人引发的政治斗争，有功于社稷。她的儿子朱祐樘继承大统，为明孝宗，孝宗继位后追尊生母，谥曰：孝穆慈慧恭恪庄僖崇天承圣纯皇后。

机缘入宫成为女官

成化年间，广西地区接连发生壮族、瑶族人民起事，朝廷发兵平息。当精锐的官军铁骑踏入贺县（今广西贺州八步），当地的动荡得以平息。来自贺县土官之家的一名美丽的女子也随之进宫，被安置在掖庭。因为她为人机警敏捷，也通晓文字，所以宫中命她守内藏。某次，皇帝偶然到达内藏，恰好遇见了她，问询了几句，她从容不迫，对答如流，很是招人喜爱。皇帝心生爱慕，她由是获得恩宠，更幸运的是很快怀有了身孕。

出于对家族的怀念，她让人称呼她为纪氏。此时育有皇子对纪氏来说，是天大的喜事，但她却也因此战战兢兢，时刻犹如在刀尖上行走。究其原因，主要是当时皇帝子嗣非常单薄，宫里受专宠者是万贵妃。万贵妃本是皇帝朱见深幼年时期的服侍宫女，年长皇帝将近二十岁。朱见深或许是感激幼时相互扶持度过艰难岁月的情谊，或是独独钟情于万贵妃，总之她在成化二年（1466年）就被封为贵妃，受尽恩宠。此后，万贵妃日益骄宠，宫中掌权的诸宦官，只要稍微有些忤逆她的意思，就会立即遭到驱除，身边整日围绕着讨好她的奸臣小人。万贵妃每天与皇帝尽情宴饮，滥于僧道，浪费的财物不可胜数。更为可怕的是，为了维系自己的专宠地位，万贵妃残害宫中被皇帝临幸后有身孕的人，让有孕者皆堕胎。即便有人能侥幸诞下皇子，皇子也没有能够顺利长大成人的，如柏贤妃生下的悼恭太子即是被万贵妃害死，皇帝对此不加过问，子嗣几绝。

纪氏怀有身孕的消息很快就被万贵妃知晓，万贵妃命令宫婢把纪氏抓起来，要严厉地惩罚她，并要她堕掉孩子。好在人心自有公道在，万贵妃的跋扈与残忍为人所不齿，被派去的宫娥回来谎称纪氏害了腹胀之病而已，于是万贵妃只是把纪氏贬至安乐堂居住，纪氏惊险地渡过了第一道难关。怀胎十月后，纪氏生下皇子一名。皇子出生后，太监张敏被派去溺死皇子，但他知道皇子生命珍贵，况且皇上此刻正缺少子嗣，因而他没有溺死皇子，反而带来粉饵、蜜糖喂养皇子，并且将皇子隐藏起来。万贵妃日夜窥伺想加以残害，始终没有得手。皇子在一群默默无闻的宫女、太监的保护下，小心翼翼地长大至五六岁，胎发始终未曾剪断。当时被废的吴皇后居住的地方靠近隐藏皇子的安乐堂，由于这个天真活泼的孩子近在咫尺，因此吴皇后也知晓了皇子的存在，她也精心地秘密哺养皇子，为皇子的安全成长多添了一份保障。而皇帝对这一切毫不知情。

嗷嗷幼子，舍身相离

自从失去悼恭太子后，皇帝很久都没有子嗣，大明王朝的皇位继承在宪宗这支眼看就要后继无人了，朝野上下都十分忧虑。成化中，皇帝召唤太监张敏来给自己梳理头发，对着镜子叹了口气："我都将老了，还没有一个儿子。"张敏立即匍匐在地，跪对道："臣已犯了死罪，皇上您有一个儿子啊！"皇帝闻言惊愕，随即又转化成满眼的期待，赶忙问道："他现在在哪呢？"张敏再次答道："臣一旦说出来就会必死无疑，但是恳求皇上为皇子做主。"这时，一旁的太监怀恩也立即进言道："张敏所说全部属实，皇上您确实有个儿子，现在秘密地养育在西内，已经六岁了，只是一直藏匿起来，不敢让人知道。"皇帝闻言大喜，当日即前往西内，派遣使者去迎皇子。使者到达西内，纪氏一边为父子能够相认而高兴，一边抱着皇子哭泣道："孩儿啊，你这次前去，母亲是活不成了。如果见到穿着黄袍有胡须的人，就是你的父亲，你可投入他的怀里。"皇子穿上了小红袍，长长的胎发垂至地面，模样十分惹人怜爱。到了大殿，他被众人簇拥着到台阶下，跌跌撞撞地奔向父亲的怀抱。父子初见，皇帝立即疼爱地把皇子放置在自己的膝盖上，轻轻地抚摸着，抱了好久不愿意撒手，悲喜交加地说："这是我的孩儿啊，像我！"随后就让太监怀恩去内阁说明了事情的来龙去脉。群臣突闻皇帝有皇子，悬在众人头上的继承人问题解决了，皆大喜，额手称庆。次日，君臣入朝道贺，朝廷颁布诏令，告示天下。皇帝将纪氏移至永寿宫居住，数次召见。万贵妃此时也是万般无奈，只得接受皇子的存在。但是她不甘心自己日夜防备，却被宫女、太监们蒙骗过去，怨恨地哭泣道：“你们这群卑下的人，都来骗我！”

当皇子与父亲相认后，纪氏的命运正如她自己所预测的一般，在当年六月的时候，暴病而亡。大家都在猜测说可能是万贵妃将纪氏害死了，也可能是纪氏自缢身亡。太监张敏随后吞金自尽。这群宫娥与太监，地位卑微却竭尽全力周旋，以弱小的生命保护了大明王朝的血脉，避免了一场因为继嗣无人而掀起的血雨腥风。

皇子成为皇太子后，陪伴他的母亲走了，喂他饼糖的张太监也走了，还未及弱冠之年的他孤凄无比。皇太子的祖母孝肃皇太后深知万贵妃对皇太子不会善罢甘休，为保住皇室血脉，

广西贺州孝穆皇太后先茔保护标志碑

她及时伸出了援手，主动担当起抚养皇太子的责任。于是皇太子就与皇太后居住在仁寿宫。一日，万贵妃召见太子用餐，皇太后对孙儿说道："孩子啊，你且去吧，但千万不可食用任何东西。切记切记！"当太子到达时，万贵妃赐下食物，太子就说自己饱了，万贵妃又进羹让他食用，太子说疑心有毒。万贵妃勃然大怒："这小儿才几岁就这样了，他日成人必定欺凌我！"

有官员在万贵妃去世后，请求捉拿当年诊视纪氏的众位太医，建议逮捕万贵妃的亲属，追究讯问当时纪氏去世的情形。已继位的孝宗以与先帝的意愿不符为由，拒绝了继续追究万贵妃及其家人的罪状，也没有削去万贵妃的谥号。

帝王思太后

孝宗即位后，以孝义为重，十分思念母亲，于是命太监蔡用前往广西寻访母亲的家族成员，这在当时又掀起一股波澜。皇帝还让广西地方官员随同前去其母亲的家乡平乐府贺县查访，请本县桂岭乡迎恩里龙堂村的耆老们到衙门询问，了解其母亲的宗亲有没有存活在世的，并叮嘱官员们说，如果有太后的宗亲存活在世的可将全家老小全部送往京城好生照顾。他还说，这件事非常重要，不要纵容手下的人徇私舞弊，任由外姓异族的人冒充太后的宗亲，也不得以此为由惊扰百姓。

明孝宗朱祐樘像

初时，纪氏曾说自己是广西贺县人，因年幼未能知道自己的家族渊源，太监郭镛深知此事。孝宗还在东宫做太子时，就有太监陆恺，本姓为李，自称为纪氏的亲兄弟。郭镛知道他是伪称的但是没有揭发他。陆恺曾经托付镇守两广的太监顾恒去寻访他的叔叔李福边及其兄弟等人。陆恺的姻亲韦父成知道李家没有什么后人，就冒认皇亲，于是得到官田数顷，地方官府还将他所居住的地方命名为迎恩里，这份荣耀与富贵着实让乡邻艳羡不已。纪贵，本名李父贵，与他弟弟李祖旺一起与地主邓璋谋划说道："韦父成一个异姓之人都能诈冒皇亲，飞黄腾达得富贵，我们跟陆恺的宗亲是同姓，怎么就不能呢?"于是伪造了宗系图谱并告发韦父成是假冒的。地方官员难以辨别真假。加之蔡用受皇上所托来到贺县寻访孝穆皇太后的亲戚，却始终一无所获，地方上的里老于是随意地将李父贵、李祖旺推出来以取悦皇帝。在无法查证可靠情况下，蔡用与都御史宋旻等人共同认定此二人为皇亲，并将他们带往京城。皇帝闻讯大喜，下诏将二人改名为纪贵、纪旺，赏赐丰厚，并封纪贵为锦衣卫指挥同知，封纪旺为指挥佥事。但谎言终究掩盖不住，后叠经其他人冒充皇亲，皇帝命令户科左给事中孙珪、监察御史滕祐查得真相。纪贵、纪旺被发往福建镇海卫充军，郭镛、陆恺或被罢黜，或被罚往茂陵司香，都御史宋旻被降为右副都御史，这都是访求孝穆皇太后宗支失实导致的。此番波澜源于皇帝对母亲的怀念，虽因投机取巧之人的利用产生了一系列错综复杂的误会与波折，但皇帝的孝子之心，日月可昭。

纪氏作为边疆之弱女，聪敏机警不自弃，在众人庇护下，不屈不挠，于残酷的宫廷斗争中养育出了孝宗。人性的光辉打破了宫廷的桎梏，铺就了大明王朝安稳的过渡之路。

流官吏目：辅佐土官，稳定地方

“溪峒蛮僚，虽常梗化，乱岂无因。昔陈景文为令，瑶、壮皆应差徭，厥后抚字乖方，始仍反侧。诚使守令得人，示以恩信，谕以祸福，亦当革心。”帝嘉纳之，惜未能实究其用，此可为治蛮之宝鉴矣。

——张廷玉等《明史》卷三百十《湖广土司传·土司》

西南各族，历代以来，自相君长，后渐次纳入中原王朝管理体系。明袭元制，继承并改革土官制度，分别以“司”“府”“州”“县”管理这些民族聚居区，管理制度逐渐完善起来。熟知民情的官员指出，包括广西在内的民族聚居区欲求安宁，其要在于扶绥得人。被派遣至土司区域管理或者辅佐管理的流官（有任期，可调动，不同于世袭的土官，故名）人选异常重要，他们是朝廷与土民之间的中间人，人地相宜与否，直接关系到地方稳定。

广置流官吏目

明朝时广泛设置流官吏目。庆远府那地州，在府城西南。宋朝时，土人罗世念来投降，被授予世袭的官职。当地的土人归附后设置了地州、那州两个州，罗氏世代任地州的知州。洪武元年（1368年）时，土官罗黄貌归附，朝廷下诏令把那州并入地州，为那地州，给予官方的印信，授罗黄貌为世袭土知州，让流官吏目来辅佐他。

同样的情况出现在广西其他土官任职的地方，如南丹州、归德州、下雷州等地。据记载，南丹州的土官莫洪臙（yān）在宋朝开宝初年归附朝廷，元丰三年（1080年），朝廷设置南丹州，让其管辖众百姓，准予其世代承袭。元朝时，莫国麒归附，朝廷任命他为庆远南丹溪峒安抚使。明朝洪武初年，莫天

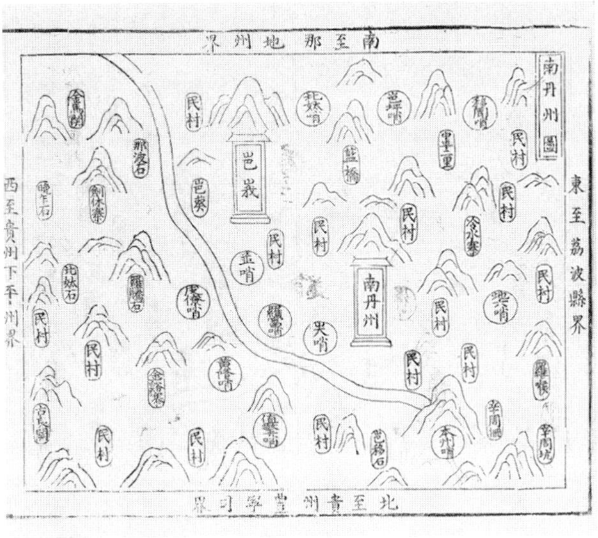

明代南丹州图

护归附朝廷。洪武七年（1374年），南丹置州，朝廷授予莫金知州之职位，准其世袭，并选用流官吏目辅佐他。莫金后因反叛被杀，州置卫所被废。又因为南丹多瘴气，将州置卫所移到宾州。不久地方动乱，又设置土官知州，任用莫金的儿子莫禄来管理州事。归德州，宋朝熙宁年间设置有州，元朝隶属田州路。洪武初年，土官黄隍城归附朝廷，被授官知州，同样选用流官吏目辅佐他。下雷州在宋朝已设置，明朝初年，下雷州的官印不知所终，被废为峒，隶属镇安府。峒长许永通奉朝廷之命随军征调有功，被授予官职，其后代许世烈、许国仁承袭峒事。许国仁和其子许宗荫屡次立有战功，得到信任，其地后改属南宁府。万历十八年（1590年），因其地靠近交趾，奏请上升为州，朝廷同意其请求，颁发官印，授予许宗荫之子许应珪为土判官，并让流官吏目来辅佐他。

忻城“两个县令”

朝廷初设置流官吏目管理土司地方之时，缺乏有效控制，时常出现土官全面复掌当地的情况。以忻城为例，宋朝庆历年间该地置县，隶属宜州，元朝由土官莫氏管理。洪武初年，忻城设流官知县，管兵的土官被罢黜，屯兵被编入民籍管理，莫氏一族也随之迁徙至忻城边界居住。在当地任职的流官知县苏宽不称职，百姓们推举了莫氏子孙莫诚敬为土官，而苏宽也同时向上司请示，再具文奏报给朝廷，得了世袭知县。于是忻城出现了“两个县令”的奇特现象，他们权力不统一，土官得到百姓拥护，而流官徒有空印，只能在府城租房居住。弘治年间，总督邓廷瓒奏请革除流官，之后此邑单独任用土官。

不过，如忻城这样复用土官管理的现象并不常见，流官管理是明朝土司地区的主要趋势。弘治九年（1496年），邓廷瓒再次上奏，大意是平乐府的昭平堡位于梧州、平乐之间，是广东经梧州上平乐转桂林及至入湘的要塞所在，请求派遣上林土知县黄琼、归德土知州黄通各自选的子弟一人，各率领土兵一千人，来驻守此地。在土兵驻守的同时，建议修筑城墙，建立防御工事，设长官司统领，并把平乐县仙回峒闲置的土地拨给他们耕种。他还建议把这里的冠带千夫长改授为昭平巡检，造哨船三十艘，在府江上巡逻，并请求停止选用流官。廷臣会议之后，觉得昭平堡是内地，如果增设土官，恐留下后患。况且府江一带，近来已设置按察司副使一名以整治兵备，因此无须差遣土官，只需上述两地每年各出土兵一千听候征调。最终，朝廷未采纳“以土治土”的治理意见，依旧坚持任用流官。

殚精竭虑，辅佐一方

任用流官吏目来辅佐土官，是改土归流过渡阶段采取的重要举措。《明史》记载，洪武初年，大批土官归附新政权。太平州土官李以忠归附，授世袭知州；镇远州赵胜昌归附，授世袭知州；茗盈州土官李铁钉归附，授世袭知州；安平州李郭佑归附，授世袭知州；思同州土官黄克嗣归附，授世袭知州；万承州土官许郭安归附，授世袭知州；全茗州土官李添庆归附，授世袭知州；结安州土官张仕荣归附，授世袭知州；龙英州土官李世贤归附，授世袭知州；结伦州峒长冯万杰归附，授世袭知州；都结州农姓土官归附，授世袭知州；上下冻州土官赵贴从归附，授世袭知州；思城州土官赵雄杰归附，授世袭知州；罗阳县黄宣、黄富归附，一同授世袭知县；下石西州土官闭贤归附，授世袭知州；等等。为了加强地方管理、促进民族融合，归附的各州都曾设置流官吏目来辅佐土官。

在遥远的边陲之地，山高林菁，暑热潮湿，甘为前驱的流官吏目们一面与自然抗争，一面主动或被动地履行他们的职责。有的官吏才力不及，迫于土司势力或弃印而逃，或殒命任上。尤其是在土官世代参与地方治理，区域势力错综复杂的背景下，流官吏目们为争取朝廷在当地的统治稳定与持续，经历了漫长而复杂的斗争过程。

泗城州所辖地域广袤绵延，兵力强劲，有岑豹、岑应、岑接三代，流官吏目们难以掣肘。程县位于泗城州的东北，隶属泗城州，设有流官知县。正统年间，岑豹四处侵犯，逼迫程县的流官弃官印而去，旋即由典史代为掌管，而典史也被杀害。岑豹就此夺取程县官印，占据程县县治。朝廷闻知此事，多次

編戶一里後改屬慶遠府尋復隸泗城州設流官知縣
正統間爲岑豹所逼棄官遁去典史攝印旋亦罹害豹
遂奪其印據縣治事聞屢遣官諭之歷岑應岑接凡七
十餘年不服嘉靖三年接爲諸土官攻殺督府遣官按
問得縣印貯於官後僅存荒土泗城南丹那地俱欲得
之時治兵相攻云　安隆長官司東抵泗城西抵雲南
南抵上林長官司北抵貴州宣慰司元泗城州地也洪
武元年泗城州土官岑善忠以次子子得領安隆峒三
十年子得來朝貢馬設治所永樂元年設安隆長官司
以子得爲長官撫其衆十二年貢馬賜鈔幣子世襲

《明史》中关于岑豹的记载

遣官告诫，岑豹不以为然，与其后代岑应、岑接违逆不服长达七十余年。此外，岑豹还侵占利州土地，并抢夺该州土官财物。地方官上报了利州被夺的情况，朝廷也只是诏令镇官、巡官去安抚晓谕，缺乏实际的干预与处理。利州土官不服，首先派族人向朝廷进贡银器、方物，其后将岑豹的侵夺行为一一上报。为平息双方争端，皇帝再次遣使者前往敕谕。然而，双方积怨已久，朝廷屡加敕谕反而让斗争愈加严重，加上利益驱使，终发展成相互仇杀。面对土官们的相互争斗，朝廷无力管辖，仅饬令总兵官宣布恩威，让土官们各自罢兵。在无效管制下，利州土官命丧岑豹之手，并被其夺去州印。朝廷趁机任命流官来管理州中的事务。数十年之间，地方众官员也多次调查并上奏，欲追究岑豹之罪，终不了了之。后利州被并入泗城州。

尽管有些流官吏目能力不足，但也有能胜任职责者。隆庆四年（1570年），忠州的土官黄贤相率众占领南宁府属的四都地界，擅自设立了总管之类的职位给自己。永康的典史李材足智多谋，他精心谋划，用妙计引诱黄贤相的党羽将其绑缚，前来投降，从而成功地平息了一场叛乱。

流官吏目在辅佐土官们治理土司地区的过程中，展现出了坚韧的品格、令人瞩目的才能与坚定不移的决心，其功绩值得肯定。他们妥善处理与土官、土民的相互关系，使得中央的政令能够在边疆顺利施行，有效地促进了土司地区与中原地区之间的交往交流。不过，流官吏目在治理土司地区的过程中也存在诸多问题。部分流官吏目可能由于土官势力强大、自身才力不及、对民情掌握不够或急于在短期内追求政绩，在管理过程中未能充分结合当地的特殊情况和民众的实际需求，从而引发了一定范围内的矛盾和不满。但从整体来看，这些不足之处并不能掩盖他们在推动土司地区发展与稳定方面所做出的重要贡献。

蒋冕：广西历史上第一位首辅

冕当正德之季，主昏政乱，持正不挠，有匡弼功。世宗初，朝政虽新，而上下扞格弥甚，冕守之不移。代廷和为首辅仅两阅月，卒龃龉以去，论者谓有古大臣风。《明伦大典》成，落职闲住，久之卒。隆庆初复官，谥文定。

——张廷玉等《明史》卷一百九十《蒋冕传》

蒋冕（1463—1533年），字敬之，广西全州人。蒋冕为明成化二十三年（1487年）进士，后为礼部尚书兼文渊阁大学士、户部尚书兼谨身殿大学士等，跻身内阁，一度成为首辅，位列文臣之首。蒋冕兄长蒋昇，与蒋冕同为成化二十三年（1487年）进士，官至南京户部尚书。兄弟二人同榜登科，在当时传为美谈。兄弟二人性格皆谨慎，兄长蒋昇以忠厚著称，弟弟蒋冕则富有才华，为官清廉。兄弟二人埙（xūn）篪（chí）相和，手足情深。

广西全州蒋冕雕像

持正不挠，力劝武宗

成化时，蒋冕考中进士，后被选为庶吉士，朝廷授官翰林院编修。弘治年间，蒋冕兼任司经局校书。正德时，蒋冕升任吏部左侍郎，成为正三品大员，改任掌管詹事府，负责非常重要的拟定文书诏令工作，后由于工作出色进而被升为礼部尚书。正德十一年（1516年），蒋冕兼任文渊阁大学士，预机务（即参与国家重要事务的商议与决断）。次年，蒋冕改任武英殿大学士，加太子太傅。

蒋冕清廉谨慎，器量宏大，见识广博，才华横溢，颇受时人尊敬。明武宗朱厚照好游玩与猎奇，热衷骑射，修建豹房，狎玩老虎，信任宦官，宠幸佞臣，常常做些令人啼笑皆非的事情。正德十二年（1517年），有阿谀奉承者为迎合武宗好大喜功，谎报边疆防御有军功。武宗即大肆赏赐众臣，加官进爵者不计其数，蒋冕也被封荫锦衣世千户，他极力推辞不受，旋即被改为封荫文职。又一次，武宗装扮成平民模样前往昌平。梁储、蒋冕、毛纪等大臣知晓后，立即快马加鞭、火急火燎地追赶，终在沙河追上皇帝，请求皇帝返驾回京，但皇帝不听从。武宗不顾帝王身份，以威武大将军之名前往边防巡视，蒋冕以患病之躯，上疏劝阻道："陛下您这样是自损威望啊，降低身份同臣子一样，如果您所到之处的藩王以迎接大将军的礼仪而不是迎接皇帝的礼仪来相见，陛下您有什么话来责备他们呢？过去睿皇帝北征之时，尚有六军及官属将近三十万之众，犹且陷于土木堡。现在宿卫单薄，您前往边境，怎能不让人恐而惊心呢？请治在您左右引导的那些人的罪！"可惜此奏疏没有得到回应。武宗热衷军事，渴建功业，一直自封总督军务威武大将军总兵官等名号，后意欲南巡，众臣又拼死谏阻，皇帝不满朝臣约束，劝阻皇帝往南巡行的众位大臣或被关进锦衣卫监狱，或被贬谪。

蒋冕请求治怂恿武宗前往边关巡视的人之罪时，已对皇帝身边的奸佞之人深恶痛绝，其中最有名的当数江彬。江彬，北直隶宣府（今河北宣化）人，他迎合武宗之意，以出巡之名为害地方。江彬受皇帝倚重，权势剧增，宁王朱宸濠反叛时，皇帝令江彬担任提督，负责协助处理机密军务，同时督领东厂和锦衣卫官校办事，江彬更加飞扬跋扈，戕害反对他的官员。武宗去世后，杨廷和与蒋冕等合谋诛杀了江彬。抄江彬的家时，查没得黄金七十柜、白金二千二百柜，古玩字画、奇珍异宝不可胜数，百姓们拍手称快。

在“大礼议”中坚持原则

武宗无嗣而终，依照《皇明祖训》中“兄终弟及”条，兴献王世子朱厚熜（cōng）即位，杨廷和与蒋冕等大臣迎朱厚熜为帝，即嘉靖皇帝。评定大臣拥立天子之功时，蒋冕被加进为伯爵，而他坚辞不受，次改为封荫锦衣世指挥，又不受。最后蒋冕被定荫五品文职，仍官升一阶。蒋冕任事，认真勤勉，深受朝臣信任，但是仍不免被人非议。御史张鹏上疏评量大臣贤德与否，请求罢免蒋冕。与蒋冕一起被抨击的还有刚正廉洁的石珤（bǎo），于是蒋、石二人一同请求辞去官职。朝中议论纷纷，有人认为此举不公平，诸给事中、御史等官员都说蒋冕不能离开朝廷，皇帝遂重新任用他。

嘉靖皇帝朱厚熜以地方藩王入主皇室，以小宗承大宗，由此，著名的“大礼议”事件掀开序幕，对明朝中期的政治局面产生了深刻影响。蒋冕作为四朝元老，资历与威望极高，自然不能幸免于这场君臣之战。“大礼议”争论的焦点在于是尊明孝宗为皇考，还是尊皇帝生父兴献王为皇考。起初，礼臣们商议的是以孝宗为皇考，意思是尊称明孝宗为皇考，称皇帝的生父兴献王为皇叔父，皇帝不答应，想尊称自己的生父兴献王为皇考。正德十六年（1521年），进士张璁就进言请在京城为嘉靖皇帝亲生父亲建兴献王庙，并在后续“大礼议”中一直支持皇帝。同年十月，嘉靖皇帝追尊兴献王为兴献帝，尊兴献妃为兴献后。嘉靖元年（1522年）正月，皇帝暂时妥协，称孝宗为皇考，慈寿皇太后为圣母，兴献帝、兴献后为本生父母。同年三月，皇帝加尊皇太后为寿安皇太后，兴献后为兴国太后。嘉靖三年（1524年）四月，皇帝加尊兴国太后为本生圣母章圣皇太后，追尊兴献帝为本生皇考恭穆献皇帝。嘉靖皇帝就在这样的拉锯战中步步胜利，到七月时，重定章圣皇太后尊号，张璁等人上疏说应将“本生”二字去除，嘉靖皇帝又赢得一步。朝臣们坚持儒家礼仪，认为秉承道义应尊明孝宗为父，为表示反对，跪伏在宫门外长达几个时辰不肯退去，皇帝几次下命令让众臣散去而众臣皆不肯，甚至有撼门大哭者，声彻宫廷。嘉靖帝大怒，将百余人投入锦衣卫监狱拷打刑讯，廷杖一百八十余名大臣，其中十余名毙命。有皇权加持，“大礼议”之争中嘉靖皇帝步步胜利。同年九月，确定称孝宗为皇伯考，昭圣皇太后为皇伯母，兴献帝为皇考，章圣皇太后为圣母。

蒋冕在“大礼议”中坚决地反对嘉靖皇帝的处理意见，认为应当尊称孝宗为皇考，与杨廷和等共同据理力争。皇帝初时委婉地劝告，紧接着又开始谴责他不站在自己的立场，不支持自己的做法，蒋冕仍坚持初衷不改。内阁首辅杨廷和首先被皇帝罢免，蒋冕继任。尽管皇帝用罢黜大员的做法，想敲打震慑蒋冕以达到自己尊崇生父生母的目的，但蒋冕坚持己见，上疏道：“陛下您继承大业，固然是因为继承顺序而预先确定。然而若非圣母昭圣皇太后的懿旨，与武宗皇帝的遗诏，则您将不能受命继承皇位。现在既然受命于武宗，那自然应当是武宗的后代。兄弟的名分是不能错乱的，因此要以武宗为兄长，以孝宗为父亲，以昭圣皇太后为母亲，在孝庙、武庙祭祀时都称自己为嗣皇帝，称臣，称御名，以彰显继统承祀之仪。今日仍欲为本生父母于奉先殿侧立庙，臣虽然愚蠢至极，也知道这断断不可行。”

蒋冕进一步强调大宗与小宗的区别，并坚持应以大宗为贵来主持宗庙的祭祀。他认为皇帝早年的旨意，即在安陆为本生父母立庙祭祀，与历朝历代的经验和做法是一致的，是极为妥当的。他以天象为由，再次劝说皇帝，说这一天朝臣们正在议论建庙之事，本是朗朗晴空，骤然变得灰暗阴沉，到日暮时分更是风雷大作。天意尚且如此，陛下难道不考虑改变一下想法吗？蒋冕还上疏极力请求辞去自己的官职。皇帝看到蒋冕的奏

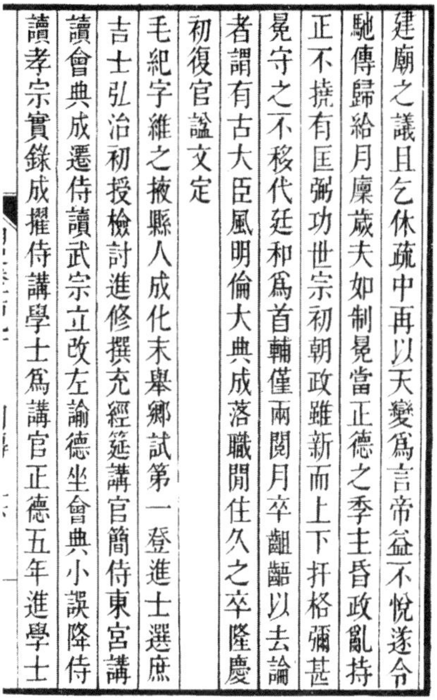
建廟之議且乞休疏中再以天變爲言帝益不悅遂令
馳傳歸給月廪歲夫如制冕當正德之季主昏政亂持
正不撓有匡弼功世宗初朝政雖新而上下扞格彌甚
冕守之不移代廷和爲首輔僅兩閱月卒齟齬以去論
者謂有古大臣風明倫大典成落職閒住久之卒隆慶
初復官謚文定
毛紀字維之掖縣人成化末舉鄉試第一登進士選庶
吉士弘治初授檢討進修撰充經筵講官簡侍東宮講
讀會典成遷侍讀武宗立改左諭德坐會典小誤降侍
讀孝宗實錄成擢侍講學士爲講官正德五年進學士

《明史》中关于蒋冕的记载

疏，心里十分不悦，但还是因为他是朝中重臣的缘故，以褒奖之词下了诏书给他。过后不久，蒋冕又一次请求停止建庙之事，同时乞求辞去官职，此份奏疏中再次以天象有变来劝说。皇帝更加不悦，同意了他的辞官请求。蒋冕辞官之初，朝廷每月仍按照制度给禄米等，保障他辞官后的待遇。《明伦大典》成后，蒋冕被罢官，闲住在家，不久后去世。隆庆时，皇帝恢复他的官职，赐谥号“文定”，以表彰他的卓越功绩与良好品德。

蒋冕归乡后，也曾感怀：“六十二年，放归田野，多谢圣恩容我。兄弟相依，岁时伏腊，供奉祠堂香火。远近松楸，清明寒食，祭献鸡豚酒果。”远离朝堂后，他享受了短暂的田园生活，兄弟之间彼此关爱、乡邻之间和睦友爱。回顾蒋冕的一生，他刚正不阿，清正廉洁，在明朝政治动荡时期，坚持以大局为重，力匡正德年间的诸多弊端，迎立新君，铲除奸臣，救国家有功，于社稷有利，被公认为大臣的典范。

广西的进士之乡

壬午，礼部尚书吕调阳兼文渊阁大学士，预机务。

——张廷玉等《明史》卷二十《本纪第二十·神宗一》

国初取士，不拘一族，而明经之科，后乃独重。粤西自景泰间定解额五十五人，著为令甲，而名卿硕辅，后先彪炳者，数数矣。

——万历《广西通志》卷十三《选举志一》

科举制度，在明代已经成为中央选拔官吏的成熟制度。广西士子寒窗苦读，历经层层考验，中举后跻身仕途。其中最优异的士子更是远赴京城参加会试、殿试，与全国各地的精英角逐进士功名。他们有的出自寒门，有的来自书香门第，凭借坚韧的毅力、卓越的才学获取成就，这些名人才士为广西孕育了深厚的文化底蕴，广西也因他们的才华与功绩而提升了文化地位。以区域划分为依据，桂林府临桂、全州以及柳州府马平的进士较为集中。

对于明代广西进士的人数，学者们持不同看法，大致说来，明代广西进士的人数在200至240名之间。出自临桂的进士有萧淮、吕调阳、殷从俭等，出自全州的进士有陈瑶、陈琬、蒋冕、蒋昇、舒弘志等，出自马平的进士有周琦、戴钦、徐养正等，明朝广西科举人才辈出，不一一列举。

广西进士代表吕调阳

从进士个人排名看，明代广西未出状元，临桂人吕调阳嘉靖年间高中榜眼，仅次于状元。吕调阳（1516—1580年），广西临桂人，字和卿，号豫所，嘉靖二十九年（1550年）榜眼。吕调阳祖籍是湖广武昌府大冶县茅潭里（今属湖北大冶）。明朝实行军户制度，有一些百姓被编入军籍后，会被派遣到其他地方戍守。吕调阳祖上即被编入军籍，因戍守之责移民至桂林，在临桂落地生根。

吕调阳的父亲曾任徐闻县令，他幼年时随父读书。嘉靖二十九年（1550年），吕调阳高中进士，初授翰林编修。他仕途顺利，历任国子监司业、右春坊右谕德兼翰林院侍读、南京国子监祭酒、国子监祭酒等职。隆庆六年（1572年），他已升为礼部尚书兼文渊阁大学士，同年入阁成为次辅，加太子少保，进武英殿大学士。当时皇帝赐辅臣三幅大字，张居正的是“尔惟盐梅”“汝作舟楫”，吕调阳的则是“枢机克慎”，以示对二位大臣的倚重，二人均上疏谢恩。吕调阳因此声名鹊起，成为仅次于张居正的内阁辅臣。他辅助张居正推行系列改革，延缓了大明王朝的颓势，一度使国家显现出兴盛之象。

吕调阳以学识广博和长于礼仪而著称。他因学识渊博而充任经筵讲官。经筵，是汉唐以来为帝王讲经论史而特设的御前讲席，经筵讲官一般由翰林学士、其他官员等充任或者兼任。明代尤为重视经筵，吕调阳得以充任讲官，可见其学识受认可。据记载，他对给皇帝讲经论史非常重视，每次讲解前都要斋戒沐浴，皇帝也时常嘉奖他。吕调阳的才学不仅限于其卓越的史学造诣，还在于他丰富的礼仪知识。他官拜礼部尚书，朝中礼仪多由其亲自厘定。明穆宗去世后举行葬礼，他强忍悲痛，条奏的诸多大礼仪式，颁布行于朝廷内外，大家都觉得非常妥当。他与张居正各任正、副总裁，编修了《明穆宗实录》。实录完成后，皇帝加恩晋升他为武英殿大学士、少保兼太子太保，仍任礼部尚书。万历四年（1576年），吕调阳以一品秩满，皇帝加恩晋升他为建极殿大学士，少傅兼太子太傅、吏部尚书。他屡屡被派往祭祀天地与祖先的场所以及孔庙等。新皇帝的大婚、纳款献俘等诸多盛事礼仪，吕调阳都协助完成得极为完满，无一不当。

《明神宗实录》简要地记述了他的一生："赐原任大学士吕调阳祭葬。调阳，广西桂林中卫人，中嘉靖二十九年进士，除翰林院编修，历国子监司业、两京祭酒、吏部右侍郎，充经筵纂修。隆庆六年，升礼部尚书兼文渊阁大学士，寻加太子太保、吏部尚书，进少傅、建极殿大学士，以病乞休。调阳以端慎简重为时所推，及参政柄，而首揆方用事，一切捧手受成而已，然意亦不欲附之，外温中办，非专事模棱者。万历八年正月卒于家。礼部题：本官性行端谨，学问纯明，讲幄多启沃之功，密勿有经济之助，易名赐谥，允属相应。诏照例与祭葬，加祭，赐谥。"

这则史料不仅简明扼要地概述了吕调阳的一生，更为重要的是对其给予了客观公正的评价。当时，吕调阳能入内阁任次辅，有学者认为，是因为他年老且懦弱，易于控制才被张居正推荐。张居正当权期间掌握朝政大权，其专断程度，在当时无人能及，其他内阁辅臣如著名的张四维，都不敢以同僚身份自居，而实以属官辅佐张居正处理国家机要大事。史料中"而首揆方用事，一切捧手受成而已"正是对当时张居正专权的写照。但是吕调阳也不是诸事模糊含混，有不同的意见，他也敢于提出。随着时间的流逝，历史真相的不断挖掘，吕调阳谨慎简重的一生也得到了佐

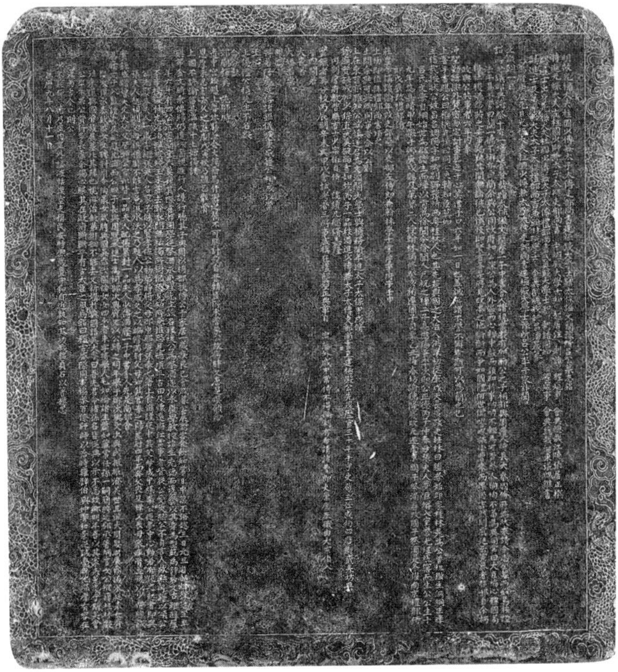

《太保吕文简公墓志铭》

证。张居正所撰《太保吕文简公墓志铭》现存于广西桂林市桂海碑林博物馆，是研究吕调阳生平的重要资料。

科举家族

科举取士多寡，受区域性的文化、经济、政治环境以及个人因素影响外，家族的教育理念与教育氛围也至关重要。临桂张氏家族、全州陈氏家族、全州蒋氏家族、马平王氏家族、马平徐氏家族等都是有名的读书之家，所出进士、举人较多。

临桂张氏家族是著名的进士之家，以张策、张简为第一代。张策，正德丙子（明正德十一年，1516年）举人，任武平知县。张简，张策之弟，举人，任知县。张节，张策之弟，嘉靖辛卯（嘉靖十年，1531年）举人。

张氏家族第二代有张策之子张言，嘉靖丁未（嘉靖二十六年，1547年）会魁，任寻甸知县。张简的三个儿子：张襄，举人，任知县；张齐，举人，任知县；张高，举人，任辰州府知府。

张氏家族第三代青出于蓝而胜于蓝。张言的四个儿子皆荣登科甲：长子张孙振，隆庆辛未（隆庆五年，1571年）进士，任户部主事；次子张孙绳，隆庆戊辰（隆庆二年，1568年）进士，任应天府尹；三子张孙继，万历癸酉（万历元年，1573年）经魁，任宁国府同知；四子张孙念，万历己卯（万历七年，1579年）亚元。张齐之子张孙懋，万历乙酉（万历十三年，1585年）举人，任衡阳知县。张高之子张孙美，万历丁酉（万历二十五年，1597年）举人，任合江知县。

张氏家族第四代张茂柏、张茂梓、张茂梧均中举。其中张茂梧，为张孙绳之子，天启辛酉（天启元年，1621年）解元，壬戌（天启二年，1622年）进士。其后张氏家族仍有子孙陆续中举，张氏一门成为临桂望族。临桂因地处桂林，文教昌盛，“一县解元之盛，临桂十六人”。

与临桂齐名的另一处进士之乡为全州："省志所载乡举多临桂、全州寄籍。"而全州的科举家族最为有名当属蒋氏家族。明朝首辅蒋冕与兄弟蒋昇即出全州蒋氏。学者研究统计得出全州蒋氏，在明成化至万历年间，"共出8个进士、1个解元、60个举人"，瞩目成就让人们为之震惊。全州陈氏，与蒋氏家族有姻亲关系，也是有名的进士家族，《粤西丛载》记录全州陈氏："陈朴，永乐甲午举人……"；陈朴之子陈章，"景泰庚午举人"；陈章之子陈瑶，"成化壬辰进士"；陈瑶之兄陈琬，"成化戊戌进士"；陈珩，"弘治庚戌进士"。全州另有伍氏、舒氏家族，亦是科举中举者甚多。全州书香门第的繁盛，为国家培育了众多优异的人才。

桂林府外，柳州府、梧州府等地的士子榜上有名者也不少。柳州府马平王氏家族，其中王尚学为嘉靖戊戌进士，王启元为天启壬戌进士；马平徐氏家族，徐养正为嘉靖辛丑进士，徐养正之子徐秋鹗为隆庆戊辰进士；马平莫氏、柳州卫余氏都是有名的进士家族。

广西文风鼎盛，人才辈出。明朝时期，广西士子勤学不辍，寒窗苦读，每逢大比之年，榜上有名者络绎不绝，可见此地教化之功、学问之深，实为一方之福。在古代科举制度框架下，进士群体与地方文教事业形成了深层次的互动关系。作为科举制度的最高功名获得者，进士及第不仅标志着个人仕途的开端，更使其成为地方文化教育发展的中坚力量。具体而言，这种关系体现在三个层面：其一，进士作为本籍学子的典范，其勤学经历与成功经验对地方学风产生显著的示范效应；其二，进士家族往往发展为地方文化世家，通过家学传承维系并丰富着地方文化脉络；其三，进士群体通过兴建书院、资助学子等方式直接参与地方文教建设。正是这种多层次的互动，使得进士群体成为推动“耕读传家”社会风气形成的关键力量，进而促进了科举时代地方文教的繁荣发展。

灿若星辰的明代广西文人

张翀，字子仪，柳州人。嘉靖三十二年进士。授刑部主事。疾严嵩父子乱政，抗章劾之。

——张廷玉等《明史》卷二百十《张翀传》

文者，载道之器，所以比事纪时而形美讽德者，胥此尚矣。粤西虽介荒服，顾渊源述作，文雅之传，亦有可以备蒐讨者，况昭代纶綍，焕乎。

——雍正《广西通志》卷九十七《艺文》

明代广西教育的繁荣为文化传承与创新奠定了坚实的基础。书院等教育机构在官方的倡导与推行之下，林立于各府州县，儒家经典更为普及。加之明朝科举制度的完善，以科举为导向的教育、培养机制为文化的繁荣提供了思想的动力，也提供了人才的支撑。明代广西籍以及旅居广西的文人为此创作了大量的诗歌、散文等作品，还向朝廷上奏许多关系民生的奏文。这些作品不仅是广西文化昌盛的反映，也是历史的真实写照。

灿烂的文学成就

明代，广西的诗歌创作进入快速发展阶段。广西籍学子，旅居、宦游广西的文人所作的诗文辞赋，蔚为大观。尤其明代广西地区动荡，奉命到此的官员不少，他们留下了相当丰富的文学作品。据嘉庆《广西通志·艺文略》与汪森《粤西文载》等史料记载，明代广西有着丰富的文学作品，部分已经散佚，部分得以保存于世。《粤西文载》所收录作品统计，有赋20首，其中明代12首。制敕诗歌有54首，从明太祖至明世宗共18首。另有山川记、宫室记等各种文学作品。《粤西诗载》中收录有明代的四言诗5首、五言诗上百首、七言诗上百首，另有五言律诗、七言律诗、五言排律、七言排律、五言绝句、六言绝句、七言绝句等不同格式的诗上千首，有的描绘自然景色，有的抒发个人情志，有的强烈批判时弊，生动地反映了当时的广西社会风貌、政治事件和人民生活。

广西诗人诗词冠绝一方。除《粤西诗载》收录的有关广西的诗词外，清人梁章钜的《三管英灵集》也进行了统计，明代广西有诗人70余人，存诗400多首。但梁章钜所选录的仅是冰山一角，因为在明代一些广西文人的文集中，诗歌远不限于百首。学者郑维宽统计：全州人蒋冕所著《湘皋集》，收录诗歌668首，他整理的《琼台诗话》，是出自广西人之手的第一部诗话，在诗歌创作上具有重要影响。此外，梧州人吴廷举在《东湖集》中收诗482首，容县人王贵德在《青箱集剩》中收诗431首，柳州人戴钦在《玉溪存稿》《鹿原集》中收诗400余首。灵川人全赐著有《衍易衍乐》，修有《灵川志》。文立缙著有《承庆堂诗文》《尚书注释》等。广西文人留下名篇无数，足见广西文风之盛。

蒋冕，字敬之，广西全州人，成化二十三年（1487年）进士，曾入内阁为官，著有《湘皋集》等。《湘皋集》收录其创作的上百首诗词。据研究，蒋冕的词小令多于中长调，基本属于苏轼、辛弃疾、姜夔词豪放清峻的风格，对临桂词派的词人产生了一定影响。蒋冕的诗词感情真挚，风格清新，雅致不俗，如《清江捕鱼图诗》："渔翁独爱清江羡，孤棹横斜烟雨里。一声款乃隔江闻，举网得鱼满筐筥……"《湘皋集》更多的是记载一些史料，有助于历史研究的进一步开展。如《乞停止南海子游猎题本》，力劝明武宗不要前去南海子游猎；《乞宽

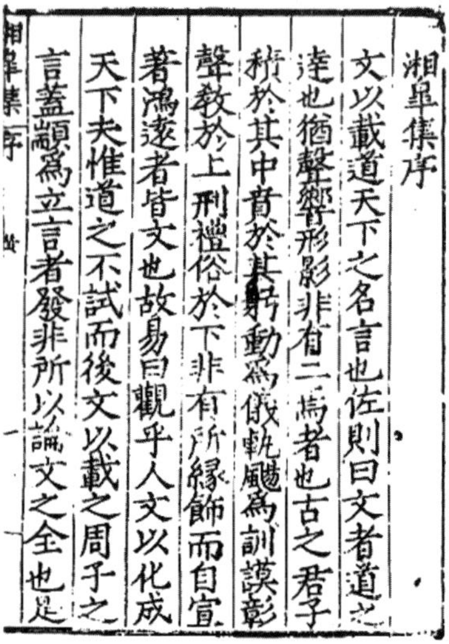
湘皋集序
文以載道天下之名言也佐則曰文者道之
達也猶聲響形影非有二焉者也古之君子
積於其中着於其身動爲儀軌颺爲訓謨彰
聲教於上刑禮俗於下非有所緣飾而自宣
著爲遠者皆文也故易曰觀乎人文以化成
天下夫惟道之不試而後文以載之周子之
言蓋顯爲立言者發非所以論文之全也是
湘皋集序

《湘皋集》书影

仁以御左右题本》《请回銮兼乞勿以威武大将军钧帖调遣军马支给钱粮题本》等题本都是对明朝中期政治特点的真实反映。《湘皋集》也有大量反映社会激烈矛盾冲突、国家治理的资料留存，如《乞停止差官烧造题本》《请重边防以备虏患题本》。《湘皋集》兼具文学价值与史学价值，语言凝练，结构严谨，涵盖诗、奏疏等多种体裁，既展现出蒋冕的文学才华，又反映出他对政治与社会的深度观察与思考，值得深入研究与品味。

柳州风景秀丽，人才辈出，到了明朝，有八位乡贤闻名于世，据《柳州府志》记载，他们分别为周琦、戴钦、佘勉学、佘立、徐养正、张翀、孙克恕、龙文光。《柳州八贤祠碑记》赞曰：“数君子者，或以理学称，或以忠节著，或以经济显，或以文章名。”本书著录其中几位生平简介及作品集，以观明时广西地区的文脉昌盛。周琦，字廷玺，柳州马平人，成化十七年（1481年）进士，博古通今，满腹经纶，著有《东溪日谈》（十八卷）、《自齐行要》（八卷）。戴钦，字时亮，柳州马平人，正德九年（1514年）进士，为刑部主事，后授刑部员外郎，进刑部云南司郎中，著有《鹿原集》《玉溪存稿》等。徐养正，字吉夫，柳州马平人，嘉靖二十年（1541年）进士，改庶吉士，初授礼科给事中，后任户科给事中，后因不愿与严世蕃等同列，请告归乡，待严嵩、严世蕃伏诛后，方才响应朝廷的号召，后升南京工部尚书，著有《蛙鸣集》。张翀，字子仪，柳州人，嘉靖三十二年（1553年）进士，授刑部主事，著有《张翀文集》、《鹤楼集》（十二卷）等。

张鸣凤、曹学佺是明代著名的文学家，皆长于诗词，所著作品丰富，有关广西的诗词作品皆为传世佳作。张鸣凤，字羽王，广西临桂人，嘉靖三十一年（1552年）举人。他曾任应天府通判等职，晚年归隐桂林。张鸣凤以诗文著称，有《桂胜集》（十六卷）、《桂故集》（八卷）、《羽王浮萍集》、《东潜集》等。曹学佺，字能始，福建侯官（今福建福州）洪塘乡人。他于万历二十三年（1595年）中进士，曾任广西布政使司参议等职。在广西为官期间，曹学佺革除弊政，创办书院，刊印新书，振兴了地方文化。曹学佺工于诗词，著有《石仓诗文集》《蜀中广记》《周易可说》等。此外，他还辑有《石仓十二代诗选》（八百八十八卷）。其中《粤西诗载》收录其五言律诗就有

15首，《粤西文载》收录其文数篇。曹学佺的诗文创作和藏书活动对后世产生了深远影响。

萧云举、吴廷举、董传策等著名文人也对明代广西的文化繁荣做出了积极贡献。萧云举，广西宣化（今广西南宁）人，万历年间进士，明代公安学派创始人之一，著有《青罗集》等。吴廷举，广西梧州人，成化年间进士，著有《东湖集》等，在家乡梧州凤凰山创办“东湖书院”，贫民子弟皆可入院受教。董传策，嘉靖大臣，因抗严嵩被谪戍南宁，过全州水道因久旱而不畅，逢大雨，遂以《全州大雨》记之，到达桂林后游历各岩洞，有《游桂林诸洞岩记》。杨芳，万历年间任广西巡抚，主桂时间较长，著有《殿粤要纂》这一重要的军事著作；他喜爱桂林山水，在龙隐洞、叠彩山等多处名胜处留有题刻。“岭南第一名臣”翁万达也曾任职于广西梧州，留有不少诗集。此外，嘉靖、万历年间完成的《苍梧总督军门志》作为中国古代一部重要的边疆军事志书，具有重要的史料价值。篇幅所限，不胜枚举。

文人的风骨

明代广西文人的风骨，既有对儒家传统的坚守，也有对“天下兴亡，匹夫有责”的回应。

曹学程，广西全州人，字希明，号心洛，著有《忠谏录》，已佚。他与其子的事迹感动了世人，向人们述说了人伦之贵、亲情之美。据《粤西文载》，曹学程少时“秉性刚介，颖而好学”，为官之后，颇有实绩，深受民众爱戴。他升任广东道御史后，“发奸擿伏，不避权势”。之后，曹学程因上疏建言日本事务触怒龙颜被下狱，在狱中遭遇了严刑拷打，体无完肤。朝中大臣屡次替其求情，恳请皇帝宽宥，皆未得到同意。曹学程次子曹正儒见父亲久囚，为自己不能尽到孝顺父亲的责任而哭泣，不忍见父亲受刑，“与其偷生于世，孰若相从地下乎”。他徒步前往监狱探视父亲，见父亲受刑待毙、奄奄一息之状，呕血数升，昏倒在地，随即刺血草疏，愿以身代父受刑。但是他的奏疏没有被上报给皇帝。到次年秋决之时，曹正儒又上书，自愿面缚法场，甘心代父受死，也没有被报给皇帝。万历三十四年（1606年）曹学程才得以赦免，曹正儒在崇祯年间被表彰为孝子。他们坚韧的文人品格和清正的文人修养都是值得后人学习的宝贵的精神财富。

柳州八贤之一的张翀为官之时，正逢严嵩父子专政，张翀不畏强权，弹劾他们的罪行，言词甚切其痛处，请皇帝降严嵩罪，以快众人之愤恨。上奏后，张翀被下诏狱拷打讯问，谪戍贵州都匀。在都匀期间，正直的张翀受诸生尊敬，学子们常登门请教，络绎不绝。当地官员也异常尊重他，见到他读书的地方有些破败，本私下商议延请匠人修葺，但是都匀的百姓得知后，都争相前来帮忙，读书堂很快落成，成为都匀学子读书切磋的圣地。张翀在严嵩等权势正炽时上疏直劾，被贬边远之

张翀像

地，朝中也有大臣为其辩护，希望皇帝能够重新录用他，并嘉奖其正直言行。但是嘉靖皇帝一意孤行，不仅不予赦免，对为他求情的大臣也削官为民。严嵩倒台后，张翀被允许回到原籍。隆庆年间，他官复原职，又迁为大理寺少卿。他以右佥都御史巡抚南赣等处，平息了万羊山及南雄处的起事，后进兵部右侍郎，归乡后卒于家，赠兵部尚书，谥忠简。张翀的言行正是文人明事理、辨是非、知善恶淋漓尽致的体现，他们在儒家文化的引导中坚持着自己的理想与信念，还人间一片善与美的净土。

文脉赓续

像曹学程、张翀这样著名的官员兼文人，不仅其事迹鼓励广西学子笃志博学、言行清正，更重要的还是他们为倡导教育，大力支持书院建设的积极行为，赓续了文脉。计贤的《同仁书院记》、罗玘的《宜山竹池书院记》、顾璘的《柳山清湘书院图记》、黄芳的《桂林书院记》、王守仁的《敷文书院记》、张治的《道乡书院记》、霍韬的《岭表书院记》等作品，皆是对明代广西书院建设的珍贵记录。其中张翀《浔州书院记》记录了他组织建设浔江书院的过程，文章大意为："一个地方之所以开始变得杰出，往往是因为有了杰出的人；士子们要想兴盛起来，也需要等待适当的时机。这难道仅仅是山川与人才的气运所决定的吗？或许这也自有其时运吧。浔江位于苍梧县的上游，从大藤峡与群山之间的峡谷流出后，地势才变得开阔起来。古时候就称这里的山水奇特秀丽，连绵数百里，按道理说，这里应该会有超凡脱俗的豪杰志士涌现。然而，自从明朝建立以来已经过去了二百年，为什么这样的人才应该被听闻却长久以来都没有被听闻呢？难道所谓的'因地而胜，待人而兴'，是因为上面没有人来倡导推动吗？……于是，我们在前厅中增设了两座厅堂，一座命名为'崇正'，另一座命名为'义聚'，作为讲学的地方。在旁边，我们又建造了六层的号房来供众多士子居住，并在书院的大门题写'浔江书院'。从去年秋天的八月开始动工，到今年夏天的五月完工，浔江书院焕然一新，成为浔州的一大新景。唉，浔州的士子们，怎能不思考如何才能不负众望，实现诸公的期望呢?!"浔州书院在当地任职官员们的支持和帮助下建成，为浔州地区的士子们营造了良好的读书氛围，馥郁书香传万家。

广西籍或者旅居广西、关心广西的文人墨客、士绅等，以广西的风土人情、山水人文为源泉，创作了大量文学作品。这些文学作品丰富多彩，具有艺术欣赏、情感表达、审美教育、语言学习、道德教化、哲学思考和文化传承等多重作用。他们在文坛上取得的璀璨成就，极大地提升了广西在全国文化版图中的分量；其高洁品行与嘉言懿行，为后世树立了垂范的楷模；而他们兴教崇文的不懈努力，更深刻改变了广西的文教风尚。

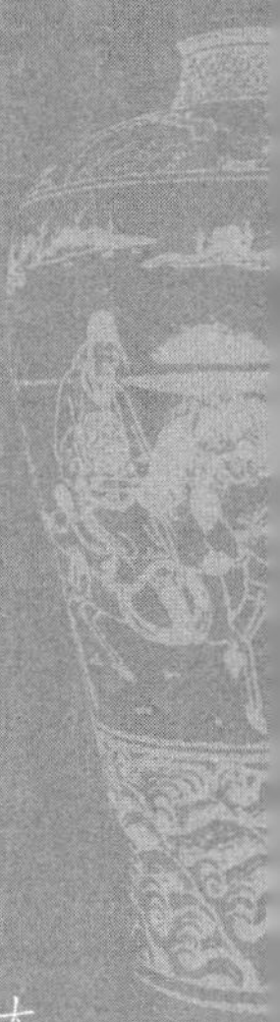

刘大夏："弘治中兴"第一名臣

赞曰：王恕砥砺风节，马文升练达政体，刘大夏笃棐自将，皆具经国之远猷，蕴畜君之正志。绸缪庶务，数进谠言，迹其居心行已，磊落光明，刚方鲠亮，有古大臣节概。历事累朝，享有眉寿，朝野属望，名重远方。《诗》颂老成，《书》称黄发，三臣者近之矣。

——张廷玉等《明史》卷一百八十二《刘大夏传》

刘大夏（1436—1516年），湖南华容人，父亲刘仁宅曾任广西按察副使。天顺八年（1464年），刘大夏考中进士。任官期间，他以民为本，清正廉洁，卓有功绩，深受两广人民爱戴。

藏旧牍，为民请安

早期在兵部任职之际，刘大夏即展现出卓越的政治才能与“以民为本”的爱民思想，其中著名的就是藏旧牍的故事。明朝南部边疆并不稳定，安南与周边国家交战后被打败，宦官汪

刘大夏像

直觉得这正是建功立业、恢复明朝版图的大好时机，想趁安南战败、兵力虚弱之时夺取它，随即向皇帝进言，索取永乐年间讨伐安南的文牍。刘大夏利用职务之便，抢先一步把文牍藏匿起来，还暗地里跟兵部尚书余子俊说：“如果讨伐安南，战事一开，西南地区就会陷入战争的泥沼，徒增百姓的负担与痛苦。”此事遂罢，广西地区的百姓也由此免于战争之苦。后刘大夏升迁为福建右参政，因为政绩显著而广为人知。

弘治初年，刘大夏父亲去世，守孝期满后，他晋升广东右布政使（一说为广西右布政使）。此时广西田州、泗城州不安定，他奉朝廷的命令前往训谕，地方上的叛乱者听闻他的名声，都顺服下来，社会恢复了安定。后来山贼出来作乱，刘大夏前往征讨，与以往大肆征伐与屠杀的做法不同，他命令捉拿山贼一定要留下活口，查实后才判罪，因此有半数被捉拿的山贼得以活命，他们都感激刘大夏的再造之恩。

刘大夏年老体迈时，见天下百姓穷苦困顿，国家的财力耗尽，请求凡不是祖宗旧制且有害于军民的事，都逐条陈奏革除。之后，他又再次上疏陈述兵政十害，并说出致仕回归老家的愿望，希望皇帝能够同意。皇帝不许，诏令他将应当革除的弊端再详细地说明上报。因此，刘大夏列举南北军转运粮饷到边塞的苦楚以及边防军人穷困、边将侵夺克扣粮饷的情况。皇帝于是问他：“你以前说天下民穷财尽，我不敢相信。自太祖以来征敛是有规定的数额，为什么今天会到民穷财尽的地步？”刘大夏回答说：“这是因为不仅仅有常规的赋税，还有一些额外的赋税啊，像广西每年取铎木，广东取香药，费用都是以万来计的。”皇帝又问起士兵的情况，刘大夏回答说：“士兵们和老百姓一样穷。”皇帝疑惑道：“士兵们平常驻守的时候有月粮发放，出征的时候有行粮供给，为什么会穷呢？”刘大夏回答：“他们的将领侵扣粮饷过半，怎么能不穷呢？”皇帝不由得叹息道：“朕执政已久，却不知道天下的军民这么穷困，凭什么能做君主啊！”于是下诏革除这些弊端。

息兵止戈，民得其所

弘治时期，刘大夏被升为都察院右都御史总督两广军务兼理巡抚，随后又被升为兵部尚书。山西大同发生小的患乱，皇帝听从了宦官苗逵的建议，准备出兵镇压。内阁大臣刘健等极力劝阻，皇帝原本坚定出兵的意愿变得犹豫不决，召刘大夏问询：“你在两广任职的时候，知道苗逵等人捣毁敌人巢穴的功绩吗？”刘大夏对曰：“臣听说，他不过是俘虏了十几个妇女孩子罢了。他仰仗着朝廷的声威与德政，全体出征之师才能返回。不然的话，还不知道会发生什么事情呢！”皇帝渴望建立功勋、成就大业，听到刘大夏的回答后久久沉默不语，又不甘心地继续追问道：“太宗当初就经常出兵塞外，打击敌人、平息边患，今天出兵为什么就不行呢？”刘大夏赶紧安慰道：“陛下您的英勇神武不在太宗之下，但是现在的将领和士兵不及太宗时候那么强壮有力，马匹也不及太宗时候那么充足了。况且淇国公稍微地不遵从军事指挥，就让数十万的将士们葬身沙漠，如何说用兵简单呢？考虑到现今情况，上策只有防守，不能轻易出兵。”皇帝最终听从了刘大夏的建议，没有对大同用兵。

皇帝异常信任刘大夏，碰到事情就想着召见他来征询他的意见，又因为考虑到这超越了他的职责范围而作罢，便允许他可就国家大事直接写揭帖进奏。然而刘大夏认为常进揭帖会干扰正常的行政运转而拒绝了。

刘大夏还锐意改革，他提出四方镇守皆宦官，对国家有危害。他举例说，在两广时他就看见文武大臣们的供给还比不上镇守的宦官，其中大量耗费可想而知。不过，皇帝认为任用宦官作为镇守自祖宗时已定，不可轻易废除，只要挑选像邓原、麦秀那样廉明的宦官任用，就不必担心了。所以他的建议未被采纳。

忠诚敦厚，廉明高洁

刘大夏忠诚敦厚，廉明高洁，他甘于舍弃自己的个人权益，一心为国。他因为人正直而被当时的大宦官刘瑾所厌恶。大臣刘宇也非常怨恨刘大夏，与大臣焦芳一同在刘瑾面前进谗言："抄没刘大夏的家产，可以充当沿边军费的十分之二呢。"此时已经是明武宗在位，刘大夏被奸臣与恶宦们借着田州岑猛的事下狱。田州府土官知府岑猛以挑起战乱之罪被降为福建平海卫千户，但他拖延在老家不肯前往福建。经审理后，岑猛之乱竟被归咎于刘大夏的激化行为。理由是刘大夏在担任兵部尚书之时，未能采纳镇巡官降岑猛为同知的建议，反而全力主张将其调往他地，这违背了当地的实际情形。刘瑾于是打算用激变罪来判处刘大夏死刑，都御史屠滽坚决不同意，刘瑾不禁着急，肆意怒骂道："他即使不死，难道就不戍边吗？"李东阳为他周旋调解，刘瑾也查知刘大夏家贫确无资产，最后判处他戍守极边之地。刚开始拟定的是罪戍广西，焦芳听了，就说："这不是送他回家吗？"于是改成了戍守甘肃肃州。

当时刘大夏已经有七十三岁的高龄，却为刘瑾等人迫害，以白发佝偻之躯只身赴边。他身着布衣，徒步经过大明门下的时候，重重地叩首后才离开，在场所见之人莫不动容，叹息哭泣。百姓们用筐子装着食物为他送行，他所经过的市集罢市，甚至有人焚香祈祷刘尚书生还，百姓对他爱戴至此。刘大夏到达戍所时，当地官员皆忌惮刘瑾的势力，丝毫不敢馈赠食物给他，更不敢前去慰问。遇到军事训练的时候，他就持着武器，不顾自己已到古稀之年，加入队伍一起训练。主管的官吏都劝他不要来操练了，但是刘大夏仍然坚持。正德五年（1510年），他得到赦免返回故里。有个已经做了巡抚的门生从百里之外来

湖南华容刘大夏文化园

拜访他，门生在路上遇到一个扶犁耕田的人，问他尚书的家在哪里，犁田人引领着门生到了尚书家，殊不知犁田人即是刘大夏。刘大夏的美名远扬域外，朝鲜使者在鸿胪寺客馆偶然遇见刘大夏的同乡人，就赶忙问刘大夏近况如何。因为他在他的国家听说刘大夏的美名很久了。安南使者进贡的时候也十分关心刘大夏："听说刘尚书已经前往边地戍守了，他现在是否一切安好？"

人们评价说，王恕有砥砺的风骨气节，马文升处事老成练达且熟知政务，刘大夏忠诚谨慎，都具有治理国家的长远谋略，蕴藏的也是匡扶国君的正当志向。他们妥善地处理政务，直言政务得失。考究他们的言行心意、为人做派，都是光明磊落、刚直方正的，有古时候良臣的节操与风范。他们经历了数朝，享有高寿，是朝廷上下的倚重，众望所归，名扬四方。

《诗经》《尚书》里面所赞颂的年长德高的老臣，这三位差不多就是这个程度了。这无疑是对刘大夏最好的褒扬了。正是有刘大夏这样的清正廉洁、谨慎务实、一心为民的大臣辅佐，明朝才出现了有名的“弘治中兴”。

瓦氏夫人：抗倭第一女将

（嘉靖）三十四年，田州土官妇瓦氏以俍兵应调至苏州剿倭，隶于总兵俞大猷麾下。以杀贼多，诏赏瓦氏及其孙男岑大寿、大禄银币，余令军门奖赏。

——张廷玉等《明史》卷三百十八《广西土司传二·田州》

瓦氏夫人（1497—1555年），归顺州土官岑璋的女儿，长大后嫁给田州岑猛为妻子。瓦氏夫人及其领导的土兵，在明朝东南沿海的抗倭战争中勇猛杀敌，战功显赫，保家卫国，光炳千秋。

临危不乱，数渡难关

瓦氏自幼熟读诗书，尤其喜爱学习武术，少年时就练习祖上流传下来的壮拳，刀、剑、枪、弓弩等皆精熟，擅长使用双刀。据闻她舞动双刀时，势如猛虎，快若游龙，腾闪挪移间刀光闪闪，充满冷冽肃杀之气，见者无不胆战心惊，佩服其巾帼不让须眉之英姿。早年的时候，瓦氏辅助丈夫岑猛在田州建功

广西靖西瓦氏夫人浮雕

立业。但是岑猛反复叛乱，嘉靖初年最大的一次叛乱中，其儿子岑邦彦被朝廷斩杀，岑猛率领剩下的残余部队逃到归顺州，也中计被毒杀。

瓦氏夫人一生坎坷，她的个人际遇随着政治变化而跌宕起伏。她的丈夫岑猛与儿子岑邦彦都去世后，朝廷册立岑猛的庶子岑邦相为世袭职位的继承者。岑邦彦留下的儿子岑芝由祖母瓦氏、林氏抚养。岑芝有官职并且分有田土，得以顺利安稳地成长。岑邦相自掌权起便与田州总管卢苏势同水火。他厌恶卢苏的专权作风，与当地的头目罗玉等密谋要诛杀卢苏，不料这件事情被岑芝与卢苏提前知道了。而岑邦相又侵占了瓦氏、林氏的庄田。瓦、林二氏为求自保，与卢苏筹谋带着岑芝远避梧州，并向地方负责军事的官员上奏此事。情势危急，卢苏为保护岑芝，起初策划寻找刺客刺杀岑邦相，但被岑邦相发觉了并杀掉了行刺者。岑芝等人的处境因此越发危急，与岑邦相的斗争变得只能赢不能输。卢苏又埋下伏兵杀罗玉等人，并乘势设下伏兵包围了岑邦相的宅子，用计将岑邦相诱出后捆绑起来。当夜，卢苏与瓦氏就以弓弦处死了岑邦相。岑邦相死后，武靖州土官岑邦佐（也是岑猛的儿子），对田州的权力垂涎不已。镇安府的岑真宝游说岑邦佐回到田州，商定与泗城州的土官共同以兵力助力岑邦佐。而当岑真宝进入田州后，卢苏与那些怨恨岑真宝的宗族子弟一起合力袭击了镇安府。

田州土官的各族势力之间纷争不断，他们还互相向管理军事的官员告状。于是当地掌管军事的官员就上奏说，瓦氏夫人的孙子岑芝承袭土官这件事还没有定，田州没有主管的土官，导致周边的势力都虎视眈眈，觊觎田州。官员建议朝廷正式任命岑芝为土官，并颁发委任状。卢苏作为岑芝的大管事，又请求朝廷早一点赐给岑芝官职以安抚田州，自己则情愿自备兵粮上战场立功赎罪，并且将以前累年所拖欠的秋粮等都补齐。终于，瓦氏夫人的孙子岑芝承袭了田州土官，瓦氏、卢苏、岑芝这一集团取得了政治斗争的阶段性胜利，朝廷将其他土官或革去官职，或准许立功后再复原职，或令悔过自新，田州获得了暂时的宁静。

跨山越海，前线抗倭

嘉靖三十二年（1553年），瓦氏夫人的孙子岑芝出征海南战死，而瓦氏夫人的重孙岑大寿、岑大禄年纪尚幼。田州土官家族此时人丁凋落，上只剩银发祖母瓦氏，下只余蓬头稚子岑大寿、岑大禄。时有当地人莫苇趁机冒充姓岑者，与土官岑施互相勾结，煽动人们作乱，幸有明朝官员们及时洞察处理，提督郎槚上奏章请示朝廷得令后，命思恩守备张启元暂时驻扎在田州，镇守此地，给田州土官瓦氏夫人家族以强有力的支持，危机才得以解除。

嘉靖三十四年（1555年），倭寇肆虐东南沿海地区，烧杀抢夺，百姓们苦不堪言。朝廷下定决心要彻底地扫除倭寇，征调了广西本地的土兵前往东南沿海地区。田州土兵战斗力极强，被称为俍兵，被列入征调的对象。此时家族幼子未成，瓦氏夫人不顾自己高龄之躯，慨然扛起保家卫国的责任大旗，她率领六千精兵，急速赶往苏州。总督张经考虑到广西田州土兵的战斗力与纪律性，让其投到总兵俞大猷麾下。果然，田州俍兵名不虚传，他们上阵杀敌勇猛，打败倭寇，战功显著。官员们将瓦氏夫人带领土兵的辉煌战绩上奏给了朝廷，皇帝下诏赏赐瓦氏夫人以及她的重孙岑大寿、岑大禄银二十两及纻丝等，其余的出征土兵让军门分别论功行赏。

不阿权臣，坚守本正

征剿倭寇原本是由国家组织的军事防御，在明朝却受到了政治斗争的极大影响，瓦氏夫人领导的俍兵亦受波及。倭寇自嘉靖三十三年（1554年）就占据了松江、柘林等地为巢穴，肆虐纵横，周围数百里范围几乎被全部烧杀抢掠，明朝水陆兵都不敢近这些地方。嘉靖三十四年（1555年）三月初，瓦氏夫人带领田州土兵以及东兰、南丹、归顺州等地的土兵六千多人，听从朝廷的调令前来浙江。当地百姓也苦于倭寇暴行良久，每天都盼望着俍兵能与倭寇一战，把倭寇驱赶走、消灭尽。严嵩的干儿子赵文华奉旨至嘉兴巡视，屡次催促张经征召俍兵围剿倭寇，张经回答道：“贼人非常狡猾，人数众多，今天征召四方之兵，独独俍兵率先到来，此兵勇猛但是容易溃败，万一失利的话，就会引起军队的恐慌，姑且保留这些土兵，到合力夹攻的时候发挥关键作用，才是万全之策。”但是赵文华执意要进击，再三进言，张经久经沙场，熟知军事，了解俍兵的习性与特点，坚持根据实际的军情处理。

为此，赵文华上疏参劾张经，说他姑息贼寇，浪费国家的军费，失去了进兵的大好时机，并说张经听信参将汤克宽之言，想等着倭寇满载出洋。因赵文华的弹劾，皇帝下诏锦衣卫将张经等捉拿至京城审问。实际上张经运筹帷幄，很快取得王江泾大捷，朝中大臣以前方正值大捷，不易更换将帅为由，请求嘉靖皇帝把去浙江的锦衣卫召回来。嘉靖皇帝昏庸，听信赵文华谗言，把为张经说情的官员都杖责一通，并贬为平民。但皇帝心里也对浙江大捷之事存疑，于是跟严嵩核实，严嵩颠倒黑白，说别的大臣告诉他浙江地区被倭寇肆虐得惨状连连，人们都认为是张经姑息养奸、放纵贼寇，殃及百姓，浪费军饷，损害朝廷的威严，不把张经抓起来审问将无以正法。严嵩还巧言骗道：“俍兵刚到的时候，军心大振，锐不可当，久久不见进攻，瓦氏还愤然说道：我等自备军粮，不为国效力片许，怎么回去见父老乡亲？”严嵩不仅曲解实情，甚至让赵文华冒领浙江大捷之功。

因为严嵩的谗言，瓦氏夫人遭遇了所谓的“效劳受阻”，却仍被犒劳赏银三十两、彩帛三匹。公道自在人心，俍兵虽无法参与改变朝廷的政治，却认得谁是真正的好将帅。瓦氏夫人身经百战，多次经历田州的动荡，她麾下的俍兵随她一样，都十分敬重张经，听其管束。

瓦氏夫人领导的俍兵在抗击倭寇中展现出的极强战斗力得到主帅张经的充分认可，并且张经也能够依据俍兵的特点灵活制定作战策略，将其军事效用最大化。张经曾经在狱中上疏自陈："时受总督之任，倭寇盘踞柘林川沙洼，人数众多，当时两万多民兵脆弱不可制敌。臣就奏请调集田州、东兰、那地、南丹、归顺等地的俍兵五千名，以及永顺、保靖土兵一千名前来浙江剿倭寇。计划以这六千兵力合力共击，有必胜的把握。今年三月初，田州土官的夫人瓦氏等带领土兵到来，臣就根据形势分配兵力，瓦氏及其带领的土兵配合俞大猷屯扎在金山卫，准备捣毁贼巢西路；东兰、那地、南丹三州的土兵配合游击将军邹继芳屯扎在闵行，准备捣贼巢北路；归顺兵、思恩兵、广东东莞的勇武之士等配合参将汤克宽屯兵乍浦，担任西路右哨，随时根据战况灵活采取攻守策略。三月末的时候，侍郎赵文华到松江，急速地想让诸将进攻讨伐，然土兵们都是远调而至，对贼寇的情况以及地形等都不熟悉。游击将军白泫率田州土兵千余人去探陆哨的时候就遇到贼寇的埋伏，头目钟富被杀，损兵大半，所以俍兵不能马上投入战斗，这是显而易见的事情啊！随着永顺、保靖的土兵都到位，倭寇四千余人突然袭击嘉兴，臣立即委任参将卢镗督率保靖土兵支援嘉兴，委任俞大猷指挥永顺兵往平望以扼制住贼路，令汤克宽带领水军击杀贼寇，此战大获全胜，斩首倭寇一千九百余名，焚溺者不计

广西田阳瓦氏夫人墓

其数，贼寇随之丧气。这是臣日夜苦心，周密计谋获得的胜利，不敢有一丝一毫的懒怠。”张经的这份奏疏虽然上报，却被压住没有送达皇帝，他在当年十月即被处死。他取得大捷却被下狱，未战死却遭冤杀，上下为之哀叹！

瓦氏夫人带领俍兵参战数月，屡建奇功，威名大振，江南人传颂“花瓦家，能杀倭”，称其为“石柱女将军”。后因积劳成疾，瓦氏夫人回归故里，不久后在田州去世。嘉靖四十二年（1563年），因为平定广西地方叛乱的功劳，朝廷准予瓦氏夫人的重孙岑大禄能够继续像他的祖先一样担任知州的职务。瓦氏夫人是我国历史上为数不多出身边疆的巾帼英雄，她一手平定地方内乱，一手抗击倭寇，文治武功，皆有不俗建树。她百折不挠、抗倭爱国的精神，成为中华民族的宝贵财富，代代相传，激励着一代又一代人。

寓兵于农的卫所制度

天下既定，度要害地系一郡者设所，连郡者设卫。大率五千六百人为卫，千一二百人为千户所，百十二人为百户所。所设总旗二，小旗十，大小联比以成军。

——张廷玉等《明史》卷九十《兵志二》

卫所，是明朝主要军事制度之一，为明太祖朱元璋所创建，是一种寓兵于农的军事制度。卫所统领下的军士战时听调出征，平时则屯田耕种。

建卫置所，兵屯四海

朱元璋出身贫苦之家，凭借惊人的军事天赋，从底层的军士逐渐成为将帅，并统一了全国建立明朝。称帝前，朱元璋为吴王，他大刀阔斧地改革元代军事制度，建立武德、龙骧、豹韬、飞熊、威武、广武、兴武、英武、鹰扬、骁骑、神武、雄武、凤翔、天策、振武、宣武、羽林共十七卫亲军指挥使司。他分级设置军事长官，统领五千名军士的称为指挥，统领一千名军士的称为千户，统领一百名军士的称为百户，统领五十名军士的称为总旗，统领十名军士的称为小旗，形成指挥—千户—百户—总旗—小旗的军事指挥官体系。

平定天下、稳固政权后，朱元璋整体性地布局全国的军事防御，在各战略要地设置卫所，大约以五千六百人作为一卫，一千一百二十人作为一千户所，一百一十二人为一百户所，一百户所内设总旗二个，小旗十个。军士的来源有多种，最初时有从征、归附、谪发者。从征者，乃跟随诸将征伐后就地屯戍的人；归附者，以敌对政权的降兵为主；谪发者，主要是因罪被贬谪或者流放的人。后来主要采用垛集法征兵，百姓以数户为一垛集单位，出一丁为军，是为卫所军士的主要来源。成为军士的，就会被划为军籍，别于民籍，父子相袭，世代为卫所军队成员。

全国卫所辖制于五军都督府，也隶属兵部管理。洪武四年（1371年），朝廷制造了用宝金符、走马符牌，它们成为调兵遣将的重要信物。用宝金符有两枚：一枚归中书省收藏，中书省被废除后改藏在兵部；一枚归大都督府收藏，大都督府被废除后改藏在五军都督府。皇帝下诏令发兵时，双方同出符请宝，这是有效调遣军队的重要步骤。走马符牌也同样重要，有十分紧急的军务需要调派军队时，使者要携带走马符牌为凭证。明朝的皇帝在调兵与军士管理上十分谨慎严密，洪武时期，就命令兵部设置军籍勘合，记录从军人员的履历，调补至卫所的年月，在营丁口的数目。永乐年间又演变出带有编号的调军勘合来调遣军队。兵部与五军都督府在皇帝的控制下，共同管理卫所军队，二者偏重的职能有所不同。

卫所林立，护卫地方

广西卫所管理体系在明朝军事体系中占有重要位置。明朝初期，统治者在全国各主要地方设置有十三个都指挥使司，广西都指挥使司就是其中之一，其他十二个分别在北平、陕西、山西、浙江、江西、山东、四川、福建、湖广、广东、辽东、

明代“广西护卫右千户所管军印”铜印

河南（都指挥使司的数量之后屡有变化）。广西都指挥使司的设立，意味着在明朝的军事布局中，广西具有极其重要的战略地位，与中原腹地其他地区比肩而立。广西都指挥使是广西地方最高级别的军事领导者，与广西布政使、广西按察使，都被称为封疆大吏。全国的都指挥使司，一般设有都指挥使一人，为正二品官员；都指挥同知二人，为从二品官员；都指挥佥事四人，为正三品官员。都指挥使司还下设经历司、断事司、司狱司等职能机关，分别负责文书处理、案件审理和囚犯管理。

广西都指挥使司主要掌管广西的军队事务，统帅广西的卫所。其首要任务是为国家练兵与屯田，另外还有巡捕、防御等等杂事。据《明史》记载，广西都指挥使司下面的卫所设有桂林右卫、桂林中卫、南宁卫、柳州卫、驯象卫、南丹卫。经过叠次的战争，后又陆续添设或改设庆远卫、浔州卫、奉议卫、广西护卫、梧州千户所、怀集千户所、武缘千户所、古田千户所、贵县千户所、贺县千户所、全州千户所、太平千户所、象州千户所、平乐千户所、宾州千户所、来宾千户所、富川千户所、容县千户所、融县千户所、灌阳千户所、河池千户所、武宣千户所、向武千户所、五屯屯田千户所、迁江屯田千户所、靖江府仪卫司等。

屯戍边疆，保卫平安

卫所的功能之一是作为国家的军队镇守一方。洪武二十八年（1395年），朝廷征讨奉议诸州，动乱平定后，尚书唐铎请求设奉议卫并在向武、河池、怀集、贺县等处设立千户所，以官军镇守。各地分守的有参将。成化八年（1472年），韩雍议请设左、右江参将，左江参将分守浔州、梧州，右江参将分守柳州、庆远并驻扎在柳州。隆庆初年，在平定古田起事的善后政策中，朝廷增设永宁参将并驻扎在永宁州。万历初年，朝廷增设了昭平参将，随后不久降为守备，在商议府江起事的善后政策中，朝廷又复设参将，驻扎在平乐府。八寨起事平定后，朝廷设立了思恩参将。

都指挥使司官员及其管理下的卫所军士的首要职责是护卫一方平安。永乐年间，柳城、宜山、天河等县的贼寇数次劫掠军民财物，时任广西都指挥使的鹿荣负责剿捕，但久久不见有成效，被巡按监察御史弹劾其玩忽职守，纵容贼寇，请求皇帝治他的罪。皇帝暂时宽免鹿荣，令他擒获贼寇来赎罪，并且命令镇远侯顾兴祖监督他。鹿荣顶着巨大的压力，率领桂林右卫指挥使等，提兵直捣贼寇巢穴，生擒贼首，遣还被贼寇所掳掠的良人子女一百八十三口。宣德年间，总兵官都督山云上奏说，广西左、右江旧时设有土官衙门大大小小共计四十九处，朝廷每每任命他与三法司官来审理这些地方纷争。因左、右江地区皆是烟瘴之乡，兼有虫毒，三年之间，被派遣到此地任职的官员，死亡的竟有十七人。所以他同众位官员商议，凡是土官衙门，除了军务重事可以径直来诉外，其余的争论诉讼事宜就近由卫所来处理。左江太平、思明、龙州、崇善等地方可于太平千户所处理，右江田州、镇安、泗城、上林等处可于奉议卫处理，思恩州可于南宁卫处理，南丹、东兰、那地三州可于庆远卫处理。各令土官以及涉及纷争应问之人，在严格规定的时期内集中审理断定，这样既可以免除瘴气之患，也让事情容易办结。皇帝同意了这一请求，对三法司官说，安抚统率边远之地的人们，应当从简从略，如果事情的处理有艰难之处，应当选择有利于当地民众的方式来处理，大臣们商议以后，觉得山云的建议亦可行，听从了他的建议。卫所制度在广西地方的变通施行，反映了明朝的军事政策具有一定的灵活性，与当地的社会治理需求相符。

驯象卫是比较特殊的卫所。洪武时期，复置驯象卫指挥使司于广西龙州附近。驯养大象以供朝廷之用，是驯象卫的主要职责之一。当时朝廷的大辂，需要用象来拉引，朝中的重要礼仪场所也需要用到大象，如朝会亦用象陈列殿陛两墀及阙门之外。于是朝廷在洪武时期再次设置了驯象卫，命令谪戍之人充任卫卒，专门捕象，每头象配以专人一名来饲养驯化。或许是驯象耗费财力物力，或许对驯象不忍，皇帝很快敕令广西都指挥使司，凡是百夷战象之夫，全部放还，驯象卫的军士，也让他们去往南宁府屯种，已经捕获的大象，则令占城的象奴送至京城。专用于捕象的驯象卫把治所迁移到横州，后虽也进贡大象，但慢慢地与一般的卫所职能无异了，成为一个辖区。宣德初年，朝廷命令总兵官镇远侯顾兴祖进剿钦州，时有广东都指挥使说，广西横州及贵县有二百余人进入了钦州，起事的人们杀死了灵山县知县，掳去了良民一十二口，抢掠了钱财与牲畜等，然后退回到了驯象卫境内。驯象卫指挥张信率领官兵抵御，抓获了部分参加此次起事的人，并请求总兵官顾兴祖将他们逃跑的首领一同捕获。此时的驯象卫，已经是地域的指称了。

卫所的另一重要功能是施行屯田。为了解决卫所的军粮供应不足问题，朝廷让卫所军士屯耕田地，自给自足。所以卫所军士，有的戍守，有的在当地屯田耕种，戍守和屯田的人口比例不一，或戍一屯九，或戍二屯八，而在边疆地区为了维护地方安全与国家统一，戍守人口一般来说占比更高。屯田所需的耕牛、种子、农具都由政府分配，但是屯军也要向国家交纳赋税，且军士们所受盘剥极重，因此后期出现大量的军士逃亡，以至于卫所名存实亡，后期不得不用募兵制替代卫所制。

卫所制度是明朝重要的军事制度，它在维护整个国家的安全与稳定方面发挥了关键作用。卫所通过军屯参与生产生活，实现了粮食自给，保证军事供应稳定，初期极大减轻了国家财政负担。而卫所的军士迁徙，也促进了不同民族之间的交流与融合，在历史上有重大的影响。明朝中后期，卫所的军事职能逐渐衰退，到了清代，卫所大都被裁并归州县。它的最后走向，正如著名的明史专家顾诚先生在《隐匿的疆土——卫所制度与明帝国》中所述：卫所就军事职能而言，自明中期起就已严重削弱，通过招募和选拔建立起来的兵制逐渐成为明朝的主要军事支柱。清朝接管以后，卫所的军事性质基本消失，但作为一种同州县类似的地理单位却继续存在了很长时间。

兴修水利工程促进交流往来

（洪武）二十九年修筑河南洛堤。复兴安灵渠。时尚书唐铎以军兴至其地，图渠状以闻。请濬深广，通官舟以饷军。命御史严震直烧凿陡涧之石，饷道果通。

——张廷玉等《明史》卷八十八《河渠志六》

灵渠位于今桂林市兴安县境内，此地森林茂密，春夏雨量充沛。由海洋山北去，诸水汇聚入湘江；暨猫儿山南往，群流沿漓江而下共注珠江。

灵渠初建，湘漓共水

湘、漓二水均流经兴安境内，相距不足四十公里，修筑灵渠，最初目的就是沟通湘、漓二水，使中原地区的兵力和物资能够顺利从湖南地区经水路输送进广西地区。灵渠在秦时即已开凿并投入使用，它在中国古代水利工程上具有里程碑式的意义，其连接今天的长江水系和珠江水系，也连接了中原地区和岭南地区，在中国水利工程史上的重要地位可比肩陕西郑国渠、四川都江堰。

灵渠的主体工程包括铧嘴、天平坝、陡门、溢流堰、水涵、渠系等。其工程设计因地制宜、综合考量、精密设计，巧妙地同时解决了运输所需的水流深静、暴雨时节的抗洪以及农田灌溉等复杂的水利难题，古人治水之妙，令人惊叹！灵渠被铧嘴、天平坝等分为南北两渠，北渠为新辟，蜿蜒曲折、逶迤北往，约数公里后，再次汇入湘江。北渠设计成蛇形弯曲状，可最大程度地降低水流速度，利于通航。

洪武初年，朝廷即重视灵渠的建设，命修治灵渠三十六陡。灵渠自秦时开凿，分湘、漓二水，原垒砌石头作闸门，防

广西兴安灵渠今貌

止水倾泻，但岁久失修，堤岸逐渐坍塌损坏。经过洪武初年的修治之后，灵渠之水可灌溉农田万顷。

初以用兵，终以睦修

灵渠最初的核心功能在于军事运输，一直为中原地区的政权征伐南方地区所用。自秦朝大将屠睢南征百越，至西汉武帝时进击岭南，再到东汉伏波将军马援取道灵渠平交趾，这条水道作为水运关键通道，在这些著名的军事战争中扮演了举足轻重的角色。它充分保证了兵力与粮饷的顺利运转，在中原王朝统一岭南地区的过程中发挥了重要作用。这在客观上加强了中原民族与岭南族群之间的交流与融合。

明朝时，中央政权对南方地区的管理进一步加强，用兵广西也越来越频繁。洪武末年对灵渠进行再次修整，就是典型的预备用兵之举。涉及此次修整灵渠的关键人物有郑国公常茂、致仕兵部尚书唐铎、监察御史严震直以及龙州等地的土官等。

洪武二十年（1387年），常茂因犯“惊溃虏罪”，被贬至龙州，四年后卒于此地。然而，龙州土官赵宗寿却上奏称郑国公常茂诈死，仍存活于世。因此皇帝让右军都督府榜谕赵宗寿入京说明此事，但赵宗寿拒绝前往。

此事涉及郑国公与当地土官，朝廷起初派遣唐铎前往告诫，赵宗寿却依然不肯听从命令出行。朱元璋勃然大怒，集齐湖广、江西所统辖的卫所骑兵、步兵等六万余人，命令每名士兵携带三个月军粮，限秋初前到达广西。此次出征不再是虚张声势，朝廷调遣强兵悍将，任命都督杨文为征南将军兼总兵官，都指挥使韩观为左将军，都督佥事宋晟任右将军，率领京城所属卫的士兵三万人到达广西，对龙州以及奉议、南丹、向武等州的反叛人员志在必取。同时，此次监修灵渠的御史严震直被派出使安南，让安南的国君严守边境，万万不可助纣为虐，也不要接收叛逃者。此外，朝廷还征调了南宁卫、柳州卫等地的军队。大军即将压境，赵宗寿不得不妥协。与此同时，唐铎回京，证实了常茂已病死，说赵宗寿也将来朝参拜请罪，请求停止征讨广西，以免百姓遭受兵燹（xiǎn）之苦。朝廷于是诏令杨文移兵征讨奉议等州的叛蛮，仍然任命唐铎参议军事，辅助军事征伐。过了一个月，诸蛮得以平定。唐铎分析局势后，恳求朝廷在当地设立卫所进行管理，朝廷听从了他的建议，在奉议卫及向武、河池、怀集、武仙、贺县等处设置守御千户所，派官军镇守。灵渠即是在这样的军事政治背景下再次被主持修建的。

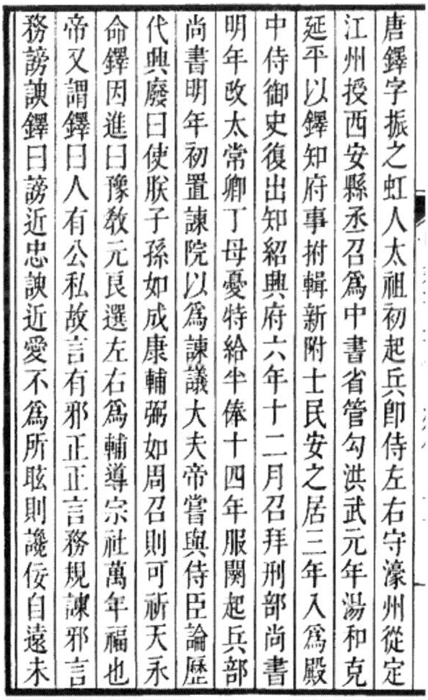
唐鐸字振之虹人太祖初起兵即侍左右守濠州從定江州授西安縣丞召爲中書省管勾洪武元年湯和克延平以鐸知府事拊輯新附士民安之居三年入爲殿中侍御史復出知紹興府六年十二月召拜刑部尚書明年改太常卿丁母憂特給半俸十四年服闋起兵部尚書明年初置諫院以爲諫議大夫帝嘗與侍臣論歷代興廢曰使朕子孫如成康輔弼如周召則可祈天永命鐸因進曰豫教元良選左右爲輔導宗社萬年福也帝又謂鐸曰人有公私故言有邪正正言務規諫邪言務謗諛鐸曰謗近忠諛近愛不爲所眩則讒佞自遠未

《明史》中关于唐铎的记载

灵渠重新修建

洪武二十九年（1396年），朝廷修治了灵渠三十六陡。唐铎抵达灵渠时，见其年久失修，显出废弛之态，实地考察一番后，认为修治灵渠，将其挖深拓宽，可通官舟，运送军饷。监察御史严震直负责这次的工程，他根据地理形势审查度量，决定重新通湘、漓二江。

严震直遂征用灵渠附近的民丁修筑疏浚渠道五千余丈，筑渼潭及龙母祠的土堤高达一百五十余丈，又增高中江石堤，改作滑石陡，凡是陡峭锋利、阻碍舟楫通行的石头，全部凿去，于是灵渠可通漕运。在修筑灵渠的时候，严震直也充分考虑到了灵渠在农田水利方面的作用，于是建有灌田水涵二十四处，上千亩农田得到灌溉，百姓欢欣鼓舞。然而，这次灵渠修整并不是完美的。虽然加高了堤坝，短时间内抬高了水位，利于航行，但是当时天平坝上的鱼鳞石凹凸不平，为加高大小天平，必须撤去不平整的鱼鳞石，改筑其他石材，于是本可以在洪水席卷时发挥沉沙缓冲重要作用的鱼鳞石被全部清除。再者，天平坝加高导致洪水无法及时排泄，于是洪水冲毁堤岸，水流大部分流入北渠，南渠则因少水不能通行。

明朝时期，灵渠在作为军事运输命脉的基础上，同时扩展了其货物运输功能。灵渠上频繁的商贸流通，大大促进了岭南地区与内地的相互经济发展，而建立在自发的经济贸易行为上的交流交往，深化了一体格局的形成。中原地区的先进生产工具、农作物、丝绸、瓷器等传入岭南，甚至经由合浦、广州等港口远销海外。同时，岭南地区的杉木、桂皮、荔枝、柑橘等土特产，还有一些珍贵的玳瑁、珍珠、犀牛角、孔雀羽毛等被输往北方。伴随商贸流通的还有人口迁徙。与秦朝时期的军事移民不同，明朝时期的人口流动更多的是官员、商贾、农业种植者与手工业者等，中原的思想文化与社会风俗也逐渐传入岭南地区。明成化二十三年（1487年），广西都御史宋旻建三里桥，这是灵渠上的一座单拱石桥，成为当时湖南至广西桂林驿道的必经之路。其下游的盐运码头则是食盐转运的重要站点。这都反映了灵渠作为岭南与中原地区输送大动脉，在以河运为主的运输时代，对经济与社会的共同繁荣发展发挥着不可替代的作用。

广西兴安灵渠水道今貌

灵渠是我国伟大的水利建设工程，明朝时期灵渠的重新修建本以军事后勤保障为出发点，其修建过程中使用的水利技术不失为一次全新的探索，为后来的水利修建积累了宝贵经验。明朝时期，广西的开发进程急速加快，灵渠作为交通运输的主动脉，极大地加强了岭南与中原的经济和政治联系，促进了大量人口南北往来，这是思想文化深度碰撞的开始，它对岭南与中原地区经济交流、生产技术交流、文化交流、民族融合产生了深远的影响。

王阳明与广西

守仁天姿异敏。年十七谒上饶娄谅，与论朱子格物大指。还家，日端坐，讲读《五经》，不苟言笑。游九华归，筑室阳明洞中。泛滥二氏学，数年无所得。谪龙场，穷荒无书，日绎旧闻。忽悟格物致知，当自求诸心，不当求诸事物，喟然曰："道在是矣。"遂笃信不疑。其为教，专以致良知为主。谓宋周、程二子后，惟象山陆氏简易直捷，有以接孟氏之传。而朱子《集注》《或问》之类，乃中年未定之说。学者翕然从之，世遂有"阳明学"云。

——张廷玉等《明史》卷一百九十五《王守仁传》

王守仁（1472—1529年），字伯安，号阳明，余姚（今属浙江）人，明朝著名的思想家、军事家、文学家。清初有人赞曰："王文成公为明第一流人物，立德、立功、立言，皆居绝顶。"

文武双全，平乱有功

王守仁父亲王华为成化十七年（1481年）状元，学识渊博，为人有气度，颇受时人赞誉。王守仁在优渥的家庭环境中成长，年少时即游历多处，时常出塞，观览各处的山川形势。

王阳明像

他弱冠之年即中乡试，勤于学问，熟读儒家传统经典之时，也热衷军事，有着高超的射箭本领，是真正的文武双全之人。弘治时期，王守仁中进士。

在治理广西之前，王守仁已经名动天下。初时，王守仁为人刚正不阿。当时宦官刘瑾大肆戕害那些不顺从他的朝臣，逮捕了南京给事中御史戴铣等二十多位官员。王守仁上奏章试图营救这些被捕官员，结果自己也因此遭到廷杖之刑，并被贬至贵州龙场担任驿丞。正是在龙场，王守仁将自己所学融会贯通，学问自成一家，成就了后来的“阳明心学”，史称“龙场悟道”。随着刘瑾被诛，王守仁得到赦免，多次升迁后官至南京鸿胪寺卿。兵部尚书王琼一向非常赏识王守仁，认为他是旷世难遇的奇才。王守仁也不负众望，巡抚当时盗贼最为集中的闽粤、闽赣、粤赣三省交界区域的时候，因地制宜，灵活处置，平息了战乱。王守仁所领之兵，几乎没有败绩，其中，最著名的是平息了宁王朱宸濠的叛乱。战后论功行赏，王守仁被特进为光禄大夫、柱国、新建伯，岁禄有一千石。但是因为政治斗争的牵连，他并未获得铁券，岁禄也被剥夺。在服丧结束后，朝廷准备重新召用他，又因为一些大臣的阻挠而中止。在平定南赣民变与宁王叛乱的过程中，王守仁灵活用兵，不拘常法，展现出了惊人的军事天赋，也逐渐形成了自己的军事策略与军事思想，这为他后来成功治理广西田州、思恩等地奠定了坚实基础。

止戈散马，安居乐业

嘉靖初年，广西田州、思恩发生动乱，时任总督姚镆无法平定，朝廷诏令王守仁以原官兼任左都御史，总督两广兼巡抚。其他官员为王守仁鸣不平，请求把铁券和岁禄先发给他，皇帝同意了。皇帝认为当地的贼寇虽然受挫，但是为首作乱的头领还没有被捉住，不能从根本上平息叛乱，于是命令王守仁统领军队前往招抚和讨伐。

王守仁的威名远扬，当地起事的人都听说过他，一听他是统帅，心中都十分害怕。但与众人期望的相反，王守仁力求以和平方式解决问题。他在前往南宁府的途中，了解到王受等人的势力庞大，估计一时半会不可能全部消灭，于是他主张招抚策略，并上疏列举使用武力的弊端，提倡不要用兵。

王守仁的奏疏清晰地展现了他遣散田州、思恩等地官兵、土兵，并使叛乱者归服的过程："臣受皇命，于去年十二月抵达广西平南县，与巡按御史、布政使、按察使等地方文武官员一同商议。田州、思恩的兵祸蔓延波及两个省份，时间也长达两年之久了。如果现在举全力出兵剿灭贼寇，存在十条危害。如果采用平和的方式进行招抚，确有十大好处。臣与各位地方文武官员促膝长谈，一致觉得就当下情形，安抚方为上策。臣到达南宁之时，当即就命令撤下那些调集来的军队。短短数日之内，脱下战衣归家者有数万人之多，仅余湖广兵数千，让其分散驻扎南宁，休养为主，等待合适的机会返程。官兵撤散的消息不知道是不是被卢苏、王受知道了，他们派遣头目黄富等人前来诉告，称愿意返回本土，投奔生路，请求免于一死。臣等将朝廷的威德明白清晰地告知众人，并将飞牌给予他们，限期令他们出降免死。卢苏、王受等人得到飞牌后，如获至宝，欢呼雀跃，对朝廷的恩德感激涕零。不久，卢苏、王受即率领当地土兵到达南宁，驻扎城下，卢苏、王受等人自缚，与数百名头目同到军门，请求免去自己的罪过，保全自己的性命。臣等又对他们说道：‘朝廷赦免你们的罪过，死罪可免，活罪难逃，你们依仗着地势险峻，聚众为乱，如果不加以惩戒的话，怎么来平息那些被扰乱生活的百姓的怨气呢？’然后臣把卢苏、王受等交给总督大人，各杖责一百，然后解开了他们的绳子。臣又苦心道：‘今天你等能免于一死，是朝廷的恩佑与庇护。必须杖责，则是有法必执。’恩威并济之下，众人心服口服。随后，臣又前往军营安抚他们所率领的军队七万多人。臣委派布政使林富等来安置众人，二月底众人都各自散去恢复旧业。皇上英明神武，威而不杀的恩德，使得叛乱者在一个月不到的时间内都降服了，不费一兵一卒，不伤一草一木，数万人都得以存活，这个成就即使是古代贤明君主教化边地之功也超越不了啊！”

皇帝见了王守仁的奏疏，龙颜大悦，忙派出使者带着敕书、银子、丝绸等奖赏于他。王守仁用平和的方式使地方免于战乱，妥善地安置当地起事者，又节省了国家因军事征伐而消耗的大量财力人力物力，实乃利国利民。

善后良策，长治久安

王守仁在和平解除这场蓄势待发的地方危机后，又提出了善后的建议："思恩与田州地方长期动乱不堪，毒害两省，历时二载。防守既耗费兵力，又劳民伤财。官员们四处奔波，已疲惫不堪。动荡不安的地方，如一叶漂泊在汪洋大海中的破旧小舟，风浪稍微一卷就会沉没，岌岌可危啊！不待智者预言，就可知其覆灭的结局。难道一定要不停地出兵才能洗刷掉彼此的仇恨吗？且不说攻下与否，即便攻克了这些地方，其他的祸患也难以预料。况且田州的战略位置十分重要，外可抵御交趾的蚕食，内可屏障各郡。瑶、壮等人民广布深山绝谷之间，倘若将他们赶尽杀绝，把土官改为流官，谁还会成为国家的子民呢？强行用兵不过是自毁长城、自除藩篱罢了。开疆拓土地帮助自己相邻的敌人，不是正中其下怀吗，委实不是上好的计策。再说田州原来的土官岑氏一族，世世代代效力于朝廷，守卫着边疆，着实功劳不小。只有岑猛的时候，错误地发动了叛乱，朝廷宽宥没有处死他，听说他也已经去世了。臣认为，现在的田州非由岑氏一族来管理不可。建议可以先把田州府降为田州，不让它的行政级别那么高，但是仍任命岑猛的后代来任土官管理当地。"

王守仁仍想任命岑猛的后代管理田州，但是田州具体由谁来管理，却因为官员们所持意见不同，引发了一些争论。王守仁为此进行了实地考察，他通过田州府的小头领和德高望重的老人了解到：岑猛有四子，长子岑邦佐（正妻张氏所生）、次子岑邦彦（妾室林氏所生）、三子岑邦辅（外室婢女所生）、四子岑邦相（次妾韦氏所生）。因岑猛偏宠林氏而冷落张氏，故岑邦佐自幼过继到武靖州，由次子岑邦彦继承官职。现岑邦彦已故，最合适的继承人当属岑邦佐。

可王守仁又认为，岑邦佐不能担任继承人。理由是，武靖州地处抵御瑶族民众起事前线，岑邦佐过继到该州多年，深得民心且才干出众，近日该州土目民众又联名请愿要求其留任。若强行改任他人，既无合适人选，又恐激起民变。权衡利弊，仍应让岑邦佐留任武靖知州，既可保边疆安宁，又能顺应民意。至于新设田州，本为延续岑氏香火，对继任者才干不必苛求。

接着，王守仁提议改立岑邦辅为继承人，民众集体反对，指出其虽名义上是岑猛之子，但出身不明，所以全州皆不愿拥立他。而四子岑邦相虽为庶出，但确系岑猛血脉，且为人敦厚稳重，深得民心。于是，综合权衡之下，王守仁提议：立岑邦相为田州土官，允许岑邦辅以官属旁支身份留居当地。如此既可名正言顺，又能使民心悦服。王守仁此举思虑周全，得到了朝廷的采纳。

为了田州的长治久安，王守仁除了选定知州继承人，还提出了一系列安邦之策。一是分设土官巡检以分化地方势力，二是提议田州改制后更名田宁，三是调整田州官员设置、整肃田州流官人事问题，四是提议对当地实行仁政，让百姓休养生息。王守仁殚精竭虑为田州的长治久安谋划万全之策，他提出的一系列安邦之策既可正名分以定根本，又能顺民情以保太平，充分体现了他个人的治世之才。

兴学育民，教泽八桂

王守仁作为明代大儒，其创立的“阳明心学”对儒学发展产生了深远影响，他也被后世尊为思想家、教育家和文学家。在学术思想上，他提出的“知行合一”学说不仅构建了独特的儒家理论体系，更成为其推行教化的重要理论基础。官员黄芳曾评价道：“先生之说，启扃钥以救流弊，探本质论也”，准确揭示了王阳明学说在挽救时弊、探究本真方面的价值。

在广西任职期间，王守仁将教育视为移风易俗、化解矛盾的重要途径。他主持修建的南宁敷文书院是其教育实践的重要载体。敷文书院始建于嘉靖七年（1528年），位于南宁府城东隅。书院得名于《尚书》“敷文化俗”之意，体现了王阳明“以文教化，以德服人”的治理理念。在《建敷文书院修德息兵序》中，王阳明明确指出：“建书院非为讲学而已，实欲变其夷俗，渐之以礼义。”这一办学宗旨彰显了他将教育视为实现地方长治久安的根本途径。

书院建设得到了地方官员的积极响应。佥事吴天挺提议将南宁城东、西二壕的田产收入划归书院专用，王阳明对此深表

广西南宁“阳明先生过化之地”石刻

赞同，并制定了详细的管理制度。为防止经费挪用，他特别规定“置立文簿”，详细记录收支情况，并抄录两本分别存于府县学和管理官员处。

在教学方面，王阳明特别聘请得意门生季本担任山长。季本，字明德，号彭山，浙江绍兴人，正德十二年（1517年）进士，是著名的王门学者。在王阳明《牌行南宁府延师设教》《牌行委官季本设教南宁》等文书中，可以清晰看到书院的教学特色：既注重儒家经典研习，又兼顾科举实务。具体表现为“考德问业之外，或时出与经书论策题目，量作课程；就与讲析文义，以无妨其举业之功”。

嘉靖《广西通志》评价王阳明“实倡正学风”，准确概括了他在广西教育发展中的开创性贡献。敷文书院的办学实践，不仅体现了王阳明“知行合一”的哲学思想，更展现了一位儒家学者将学术理想转化为社会治理实践的不懈努力。王阳明在广西的教育实践，不仅改变了当地的文化面貌，更为后世留下了宝贵的精神财富。

浙江绍兴王阳明墓

嘉靖七年（1528年），王阳明在完成广西平乱、兴教安民的重任后，因积劳成疾上疏乞归。然而天不假年，这位一代大儒行至江西南安时溘然长逝，终年五十七岁。当灵柩途经江西时，“军民缟素，哭声震野”，百姓自发沿途祭奠，可见其深得民心。隆庆元年（1567年），朝廷追念其功绩，特赠新建侯，谥“文成”，对其一生功业给予肯定。王守仁军事才能非凡，学术造诣深厚，在治理广西期间，不仅以和平的方式让地区免于战乱，还大力地促进了广西教育的发展，对广西其后数百年的思想文化产生了深远的影响。

广西教育的勃然兴起

明制，科目为盛，卿相皆由此出，学校则储才以应科目者也。其径由学校通籍者，亦科目之亚也，外此则杂流矣。然进士、举贡、杂流三途并用，虽有畸重，无偏废也。荐举盛于国初，后因专用科目而罢。铨选则入官之始，舍此蔑由焉。是四者厘然具载其本末，而二百七十年间取士得失之故可睹已。

科举必由学校，而学校起家可不由科举。学校有二：曰国学，曰府、州、县学。府、州、县学诸生入国学者，乃可得官，不入者不能得也。入国学者，通谓之监生。

——张廷玉等《明史》卷六十九《选举志一》

明朝的教育体系主要与教学制度以及考试制度关联紧密。国家非常重视教育，普遍建立了各种学校，从中央到地方，广泛地分布着大大小小的学堂，以满足不同层次和地区的教育需求。而明代广西教育的发展并非简单复制中原模式，而是在国家制度与地方特色的互动中形成了独特形态：一方面，桂林、柳州等中心城市率先建立起符合朝廷规范的官学体系；另一方面，在民族聚居区，教育传播往往与土司制度、移民开发等地方因素相互交织。

教育兴起，体系完备

洪武初期，明太祖建立国学，他说："学校的教育弊端，到元代达到了极致。全国上下，呈现出颓废靡弱之气，设立的学校名存实亡。兵变以后，人人都参加战争，只认识用于战争的武器，却不再认识用于祭祀的礼器。我治理国家，以教化为先，而教化则以学校为根本。京城虽然有太学，但地方的学校没有兴建起来。应该要令郡县都建立学校，延请老师，教授学生，讲解宣传孔子之道，让人们日复一日得到教导、归服顺从。"在明太祖的主导下，全国形成了完备的学校体系。中央有国学，即国子监，是全国最高级别的教育机构，进入国学念书的学生，都叫作监生。地方分别有府学、州学、县学等，专注于传授儒家经典。据《明史·选举志》记载，全国的教育官

北京国子监

员总数达到了四千二百多人。府一级设教授，州一级设学正，县一级设教谕，每一级地方政府都设有学校与老师。

国学是国家最高级别的教育机构，进入国学学习，意味着离国家的统治中心又近一步，在科举成为入仕的主要途径前，国学出来的学生曾经是官员的主要来源之一。入国学是殊荣，甚至成为一种笼络人心的方式。万历初年，广西岑溪有个名叫潘积善的人，自称为平天王，带领六十三山、六山等地的壮、瑶族群众起事，地方官员请求将其镇压。当时朝廷四处征战，无暇顾及，只能先以祸福之道晓谕众人，而潘积善并非意图造反，他其实大兵未举，随即表示愿意投降，以后遵循国家的管理，缴纳赋税。朝廷为表安抚，免去其死罪，还准予他送子孙进入国学学习。这一事例充分体现了国子监在明代社会中的特殊地位。当时学校遍及各地，处处可闻庠序之音，社会已经形成了竞相入学的教育热潮。

明朝时期，科举取士是选拔人才的主要途径。学校的大部分学生要想跻身国家官僚队伍尤其想成为高级官员的，必须得中举。科举路上最为关键的有三道关卡：一为在各直省参加乡试，中乡试成为举人，就有任官资格；二为以举人身份参加京城的会试，中会试成为贡士；三为会试合格后参加由皇帝亲自主持的殿试，通过殿试考核才可成为进士。进士里面优中选优，又可成为庶吉士。这种乡试—会试—殿试的三级考试机制，层层把关、层层筛选，只为了能够选择最优秀的人才来管理国家。在科举功名体系中，乡试第一名为解元，会试第一名为会元，殿试第一名为状元，乡试、会试、殿试都是第一名的话，就会被称为“连中三元”，名动天下。正因为科举取士的竞争激烈，考取难度大，后来被官员们尤为推崇，为官必谈进士出身。倘若不是考中进士进入仕途，而是通过其他渠道成为官员的，都为众人所看轻。

因地制宜，分类应试

广西是较早拥有取士名额的省份之一。洪武初年，在京师和各行省举行乡试，其中直隶准取的人数是一百人，河南、山东、山西、陕西、北平、福建、江西、浙江、湖广各准取四十人，广西、广东皆是二十五人。有学者研究认为当时广西的乡试解额为二十名。这也从侧面可见明代广西的教育相对来说较为兴盛。到了洪武中期，各地学校完备，入学的学生增多，应试者随之增多，原来的乡试额度已经不能满足士子们的需求，故先有放开不限之举，但过度放开导致人才选拔效果不佳，于是又开始限制名额。但总的来说在名额上有所增加，地区上也有所扩展。到正统年间，南北直隶定以百名，其他各省二十至六十五名不等，最少的云南也有二十名，一直到崇祯年间，都是增加的趋势。读书之风，江浙最盛，洪武年间即发生过科考案中著名的“南北榜”事件，出现所录全为南方考生的情况。为此，南北士子分开取录在此后开先河。后来，逐渐分南、北、中卷。用南卷的是应天府及苏州、松江诸府，浙江、江西、福建、湖广、广东；用北卷的是顺天、山东、山西、河南、陕西；用中卷的是四川、广西、云南、贵州以及凤阳、庐州二府，另外还有滁州、徐州、和州三州。

广西与云贵地区远离国家的政治经济中心，甚为偏远，倘若一人初入仕途就在广西、云贵等边远地区任职，大都不算得正途。史料中记载，同处于太学的人，举监、贡监就可以担任府一级正官们的副手以及州县一级的正官，官生、恩生可授以部、院、府、卫、寺的小京职，这些都还勉强被称为正途。援例监生，就只能被选为州县正官们的副手或者府一级的低级官位，如果想要在京城觅得一个职位，也只能去光禄寺、上林苑等处；愿意前往远方的，可以去任云南、贵州、广西及各边省军卫的官员，以及补卫学、王府教授等缺，但是终身都只能算作异途罢了。

书院林立，教育兴盛

明代广西文教事业的蓬勃发展，与中央王朝推行的文教政策密不可分。明太祖朱元璋建国之初即确立“治国以教化为先”的政策，这一理念在广西地区的贯彻尤为深入。在国家政策的有力推动下，广西逐渐建立起一套完备的教育体系：在行政管理方面，设立提学道专职督学，配置教授、学正、教谕等各级学官；在学校建设方面，形成以府州县学为主体、书院社学为补充的多层次办学格局；在师资培养方面，通过严格的选拔考核制度，确保从教人员的专业素质。

这一系统性建设使广西教育在规模和质量上都实现了历史性突破。据统计，明代广西共建有官学将近70所，书院约70所，教育机构的覆盖密度远超宋元时期。专业教职人员的数量也大幅增加，各县均配备教谕、训导等专职学官。以桂林府为例，其辖境内官学建设蔚然成风：临桂县学于洪武二十八年（1395年）择址重建，落户于宋代宣成书院旧址，与府学比邻而立；灵川县学早在洪武初年便已完成重修工程，坐落于县城东隅；兴安县学则在成化年间迁建至城内北门，历经多次修缮；阳朔县学不仅建有庄严的大成殿，更配套文会堂、读书楼、观德亭等设施，形成完整的教学空间；全州县学依凤凰山南麓而建，得山水之灵秀。此外，灌阳、永宁、永福、义宁等地均设有规制完备的县学。这种制度性保障使得广西教育成效显著提升，科举及第人数较前朝增长近三倍，培养出蒋冕、吕调阳等一批杰出人才。

值得注意的是，广西文教的兴盛还得益于地方力量的积极参与。既有开明土司如岑瑛等主动请建儒学，也有官员如张翀、侯国治等不遗余力兴学重教。

成化年间，朝廷就颁布命令，让土官的子弟入读附近的儒学，并且不限定名额。“土臣之英杰者”岑瑛主动请求在自己管理的思恩地区设立儒学，设置教授一名、训导四名。这种崇尚教育之风，也为后人所称赞，《建思恩军民府儒学碑记》里面就褒扬了当时兴建学校的岑瑛：“思恩有学，自岑瑛始。故习，各酋长皆以征战为务，不知尚学，坐是土俗鄙陋，人性犷悍，违羽毛类不远矣。瑛独耻之，而瑛之后曰浚者，乃背违瑛之志，遂以骄纵灭，矧曰学乎。”明朝时期，在壮、瑶、苗等民族聚居区建立的教育机构，充分体现了明代“教化四夷”的文治理念。

万历初年，张翀主持修建思恩军民府儒学。张翀在表彰前任官员岑瑛重教之举的同时，敏锐指出当地教育设施仍显简陋的现状。原学宫选址于府治郊外，不仅建筑残破，难彰圣贤之尊，更给师生日常讲学带来诸多不便——知府侯国治与诸生论学时，常需涉溪而过，每逢雨季河水暴涨，众人衣衫尽湿，屡屡染病。为改善教学环境，当地决定将学宫迁至府治中心，却面临经费短缺的困境，仅靠侯国治捐出的四十余两俸银。经层层上报至巡抚、巡按及各司衙门后，终获准在城内旧址重建。新建成的学宫虽无雕梁画栋之华美，但规制严谨：大成殿巍然中峙，两庑对称，祠宇齐备，讲学堂舍与办公廨署一应俱全。素雅的粉墙与开阔的院落相得益彰，营造出庄严肃穆的讲学氛围，赢得时人交口称赞。这一建设过程生动展现了地方官员克服困难、振兴文教的决心与智慧。

这种“自上而下”与“自下而上”的双向推动，形成了独特的边疆文教发展模式。在多方共同努力下，明代广西不仅实现了“无地不设学”的办学目标，更通过教育促进了中原文化与民族文化的深度融合，为边疆长治久安奠定了文化基础。这种将国家体系与地方特色有机结合的发展路径，堪称中国古代边疆文教建设的成功典范。

徐霞客游历广西

循王城北行，又一里，登叠彩山。山踞省城东北隅，山门当两峰间，乱石层叠错立，如浪痕腾涌，花萼攒簇，令人目眩，所谓“叠彩”也。

——徐霞客《徐霞客游记》卷三上《粤西游日记一》

徐霞客（1587—1641年），名弘祖，字振之，号霞客，明代著名的地理学家、旅行家和文学家。徐霞客生活于明末，一生致力于旅行考察，足迹遍布全国半数以上省份。

崇祯十年（1637年）闰四月，已年届五十的徐霞客，为完成“尽绘天下名山胜水为通志”的毕生夙愿，开启“万里遐征”，踏上广西之旅。他经湖南沿湘江到达广西，在全州登岸，在广西先后游历桂林府、柳州府、浔州府、郁林州、贵县、横州、南宁府、新宁州、太平府、养利州、归顺州、上映土州、庆远府、河池州、南丹州等地。《徐霞客游记》约有60万字，其中《粤西游日记》约占三分之一篇幅，足见广西地理、水文、地质之复杂，自然资源之丰富。一直到崇祯十一年（1638年）

徐霞客像

三月末，徐霞客从南丹入贵州境，他用了将近一年的时间，完成了在广西的游历与考察。

艰难考察多样地理形貌

古代地图绘制技术远不及近现代地图绘制技术发达，探寻地理形貌依靠的主要方式和手段还是实地测量。徐霞客所至之处，人迹罕至，艰险异常，无疑增加了他考察的难度。例如，徐霞客历经艰险登顶了金宝顶。据研究，金宝顶为真宝顶，位于越城岭山脉，地处桂林市全州、资源两县交界处，海拔2123米，海拔高度仅次于华南第一高峰猫儿山。可能是发音的相似，在游记中徐霞客将真宝顶记载为金宝顶。他在攀登时经询问得知有捷径可快速到达真宝顶，但实际在行进过程中历经了各种困难。在攀登过程中，徐霞客初遇一僧人，说离真宝顶还有六十里地，在行进途中，他又得知从四川岭走更近，于是已向西南前行的徐霞客返回白竹桥，沿江水而上，走了大约五里地，进入峡口。相较前面的路，峡谷内地形更为陡峭，山像墙壁一样夹住溪流、耸入云间。在艰难地走出峡谷后，徐霞客以为胜利在望，却又被一僧人告知四川岭的山路已经隐没，需要从打狗岭到大竹坪后登山才有路石。然后，徐霞客反反复复地寻找合适路径，溯狭窄的溪涧上行，俯身蛇形方能穿越丛林荆棘。种种行路之难，在徐霞客回忆下，跃然纸上。即便前路艰险，徐霞客却时时秉持着求真的精神——“在登顶之时，由于林密菁深，无从观望，他立即登上树枝，但终究不够畅快地观看。随即他远望见竹林中有一块大石像高台，更适合远眺，便设法登到石头之上，只见群山历历在目，终成所愿”。本次登顶之行，徐霞客从闰四月十一日开始出发，到十三日方成功。

徐霞客在广西考察遵循一贯的寻访名山大川的原则，但是由于各地地理形貌千差万别，因此在考察中各有侧重。探究桂柳地区时，他主要探访古迹名胜以及自然景观，他对喀斯特地貌的详细描述，奠定了中国岩溶地质学的基础。在闰四月初九日，到达广西的第二天，徐霞客便冒雨前往普润寺、清湘书院，并对狮子岩、龙隐洞等均有探访。经全州去兴安后，灵渠他自是不会错过。入桂林城，他一路游览虞山的摩崖碑，过靖江王府，登叠彩山，等等。值得一提的是，徐霞客在探寻了桂林境内的上百个溶洞后，在游记中详细描述了喀斯特地区的峰林地貌和溶洞系统。他记录了山峰的形态如花瓣状，深入溶洞观察内部结构：七星岩洞中排列着繁多石笋，悬垂状的石柱密密麻麻；栖霞洞，宏大明朗，雄壮开阔，具有显著的鲤鱼状地貌特征。徐霞客观察到大量的石笋和钟乳石，并注意到了其形成与周围环境的关系：“其前正对玉柱，有小乳下垂，珠泉时时一滴。”他发现这些地貌是由于水滴中的矿物质沉积而形成的。徐霞客还对地下河流的走向等水文现象进行了详细的观察和记录。各种溶洞宽窄、深浅、周围的植被情况等，他都能够进行细致的观察并加以记录。

在桂林游览月余之后，徐霞客在六月中旬进入柳州，然后遍游柳州周边，下象州，经武宣至桂平。他先南下北流县游勾漏山，再到容县游都峤山，然后返桂平，最后西向经贵县、横州，抵南宁府。南宁游记已散佚不可寻。但是他在归顺州等地的游历，尤其是对左、右江流域开展的调查，从地理学角度加深了对左江流域的认识。在湖润寨（今广西湖润）时，他说："候夫不至，余散步寨宅前后，始见大溪之水，一西北自鹅槽隘来者，发源归顺南境，经寨前，南下下雷；一北自寨后土山峡中来者，发源镇安南境……于是合，而其流始大，（即《志》所谓逻水，为）左江西北之源，与龙州、高平之水合于旧崇善县之驮绵埠者也。"逻水为左江支流黑水河的上游；而左江的源头，经现代水利技术勘测，认定为越南与中国广西交界的枯隆山。

观察记录多彩人文风俗

在探寻自然风貌之余，徐霞客也观察记录广西各地的风俗习惯，其中饮食、贸易、宗教文化方面的记载尤其丰富。如书中记载：山南的镕村（今广西熊村），人烟稠密，市集兴盛，十分热闹，不仅是山谷中所没有，也是南部地区少见的地方。

市场上有很多卖面、榨芝麻油的人，徐霞客买了面用来作为午饭。在桂林城中，徐霞客食用以猪肉、韭菜等拌成馅的肉包子，还有用鸡肉拌和的稀粥。桂林靖江王室的生活在书中也见记载：时靖江王府正搭起高台礼佛念诵《梁皇忏》经文，安设了围栏上演《木兰传奇》，人们都聚集在夹道那里观戏，买酒传餐的小商贩穿梭其间，好不热闹。

当时广西民风淳朴，保障了徐霞客考察的顺利进行，这在游记中时有显露。在抵达全州当晚，徐霞客住宿在牛头冈一位蒋姓人家中。攀登真宝顶时，他将行李寄放在山下刘秦川家中。刘家只有祖孙几人在家，年轻人已出门，其家中孙辈主动为徐霞客等人作游览向导。在老虎山相遇的王世荣，别号庆宇，主动在山野中为徐霞客引路，并邀请他们一行到自家就火烧饭。徐霞客在其引领下进入道士岩中抄诗，庆宇静静等候他抄录完然后前去就餐。午餐虽简单但在乡野已算丰盛，饭后庆宇还挽留他们一行住宿。徐霞客一时兴起想前往青珠洞，庆宇又扛梯子、绑火把主动引路，并且在没有相邀的情况下，有几十个跟庆宇同族的王姓之人跟随而来相助。在洞内他们也不断引导徐霞客探寻石乳奇观。待众人返回王家时，王母已经备餐相待。徐霞客一行当晚留宿王家。晚上蚊子多，嗡声响如雷，庆宇又把自己的蚊帐撤下来供给客人，徐霞客一行都安然地睡了一晚。这些都反映出当时广西的民风较好，与很多官方资料记载的民风彪悍不甚相符。

崇祯十一年（1638年）三月二十七日，徐霞客在南丹州北

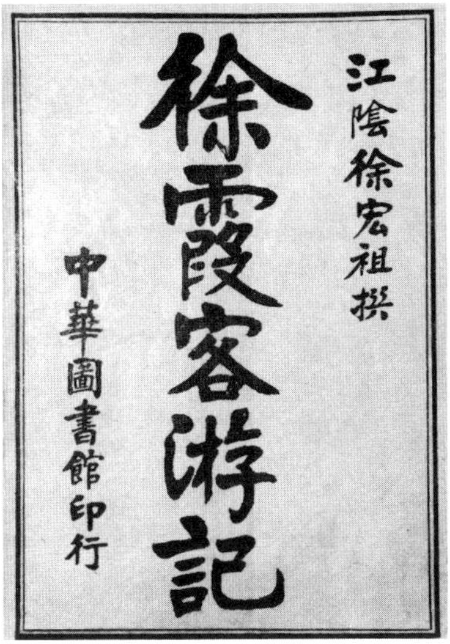

《徐霞客游记》书影

郊的村庄，换了马进入重山之中，人迹渐无。他越过南丹州与下司的分界山界岭后到达艰坪岭。山上的岩石极为陡峭，树木极其浓密，道路非常崎岖，是贵州、广西两省的交界，从此处划分，徐霞客进入贵州境内。

徐霞客以毕生精力游历，而这不仅仅是寻奇访胜、醉心于自然景观，而是通过实地考察，详细记录了各地的山川河流、地貌气候等等，纠正了一些关于山川河流记载的错误认识。他在广西的游历与考察，为详细地考证喀斯特地貌提供了翔实的资料，这对地理学研究有开创性贡献。而他的实证方法，也为后世地理学的发展奠定坚实基础。徐霞客的文字清新自然，叙述风格质朴，具有很高的文学价值。人们在他浅显易懂的描述中充分地了解了包括广西在内的各地地理形貌、人文风俗，其遗留的《徐霞客游记》是重要的地理学著作，更是中华文化中灿烂的瑰宝。

明代广西的农业

治天下，当先其重且急者，而后及其轻且缓者。今天下初定，所急者衣食，所重者教化。衣食给而民生遂，教化行而习俗美。足衣食者在于劝农桑，明教化者在于兴学校。

——《明太祖实录》卷二十六《吴元年十月》

明代广西的农业发展，是在特定自然地理条件和历史背景下逐步推进的。作为岭南地区的重要组成部分，广西境内山川纵横，水系发达，气候温暖湿润，为农业生产提供了良好的自然基础。这一时期，随着人口迁移、技术传播和土地利用方式的改进，广西的农业生产格局不断演变，稻作、旱作、渔猎、山耕等多种形态并存，交织出一幅多彩的农业画卷。

物华天宝，资源富庶

广西雨量充沛、森林茂密，这里有丰富的蛇虫类，珍贵药材如石斛、桂皮等不胜枚举。广西境内河流纵横交错，鱼类资源也异常丰富，常见的有鲤鱼、鲢鱼等。广西由于多山少平原的地形地貌特征，在平原地区种植有大量的水稻，尤其以壮族群众的种植为主；而在山林地带的民众，多以刀耕火种为主。据嘉靖《广西通志》记载，住在桂林附近的义宁、古田、融县的瑶族民众等常年依山而居，种植禾豆、山芋等作为主食，以满足日常的饮食之需。除此之外，居住在山上的人们经常进行采集与狩猎活动，他们采集香菇、笋、木耳等，捕获鹿、野猪等可食用动物，在食物时常匮乏的情况下，这些食材是人们得以存活下去的重要可依赖资源。

广西山高林深，拥有数量巨大、种类繁多的木材资源，所产的木材主要有杉木、柏木、槐木、樟木、柳木、榕木、桐木、楮木、栗木、梨木、金花木等。依靠得天独厚的资源优势，广西民众饲养的家畜与家禽种类多样，主要有牛、马、驴、骡、羊、猪、狗、鸡、鸭。另外，广西野生动物种类丰富，鸟类主要有雉、燕、鸽、鹭、伯劳、野鸡、竹鸡、鹧鸪、鸳鸯、白头翁等，野生动物有虎、豹、狼、狸、鹿、麂、猴、兔、鼠、穿山甲等，在与交趾交界的山谷中，据明代文献记载，还有野象出没。

广西地区盛产稻米，万历时，朝廷收取的夏季税粮主要来自江西、湖广、广东、广西。万历《广西通志·财赋志》记载："夏税多产于地，秋粮多产于田。"经过长时间的恢复生产措施，农业发展繁荣，人们也开始不断地迁徙与交融，农作物

明代广西乡村风貌

的物种随之更为丰富。万历年间的主要粮食作物有稻、稷、麦、荞麦，以及俗名为粟米的品种。豆类（菽）则细分为黑豆与红豆。蔬菜有芥菜、苋菜、胡萝卜、白萝卜、茼蒿、生菜，还有芫荽、藤菜、芥蓝、白茅、豆芽、菘、蕨、椿芽、刀豆、茄、蒜、笋、蕹等，引进的品种也广泛种植，有来自西域的菠菱，即现在的菠菜。明朝可食用的蔬菜种类异常丰富，与现在的蔬菜种类相比，已经相当接近。

地方特产也不胜枚举，有棉布、麻布、苎布、棉花、桑、木棉、零陵香、漆，以及蚕丝、白蜡、花椒、蓝靛、蜂蜜、薯良、茶等。花卉种类有红桂花、白桂花、芍药、茉莉、木樨、兰花等。瓜类作物有西瓜、青瓜、丝瓜、苦瓜、冬瓜、葫芦等。水果方面，除了进贡的龙眼外，还有荔枝、橄榄、樱桃、莲蓬、杨梅、桃、李、石榴、核桃、甘蔗、菱角、芭蕉、橘、橙、柚、梨、柿、杏等。竹类资源也较为丰富。泗城州地区产的雄黄和水银都非常有名。

明代广西地区这些丰富的物产资源通过“解京额办”制度与中央形成经济联系。据记载，广西每年要向朝廷进贡龙眼、荔枝等水果，以及三七、桂皮、沉香等数十种药材。地方特产如横州白蜡、容县沙田柚等也通过朝贡贸易销往全国各地。这种持续的资源输出，不仅满足了中央王朝的需要，也促进了广西与中原地区的经济文化交流。

勤于稼穑，忙于耕织

土地是农业发展的基础。元末的长期战乱，使得人口锐减、土地抛荒，农业经济遭受重创。洪武初年，朝廷实行了一系列恢复农业生产的措施，建立了土地登记制度，农业经济情况有所好转。明初，广西也编制了“赋役黄册”，登记清楚区域内的土地情况，将土地主要分为官田与民田两大类。官田指的是没入公家的田产，由官府发放官契给农民耕种，每年都按比例收取赋税。该类田地的耕种免除了附着在田地上的徭役，

明代广西山石之间的耕田

但赋税较一般的民田重很多。民田指的是私家所拥有的田产，是私人恒产。这类土地允许民间自由买卖，官府征税较轻，但需承担较重的徭役。

明朝初期，统治者十分重视农业的发展，施行的是“重农桑”政策。朝廷规定天下的农民，但凡有五亩到十亩土地的，需种植桑麻、木棉各一半；如果有十亩以上土地的，则要加倍种植；懒惰不耕种的农民要受罚。这一政策大体来说是为了鼓励农民种植经济作物。明朝的征税种类繁多，民间种的桑树也要缴税。不种桑树者，需缴纳绢一匹；不种麻者，需缴纳麻布一匹；不种棉者，需缴纳棉一匹。正统时期，朝廷命令不出产蚕丝的地方缴纳的一匹丝折算成五钱银，从此广西的丝绢税就被摊派到田赋等正额中去了。

明代广西的耕作技术呈现出成熟稳定的发展态势，在传统农业技术框架内达到了相当完善的程度。这一时期的农业技术发展主要体现在三个方面：

其一，在基础耕作技术上形成了系统化的操作范式。由于长期积累的农耕经验，明代广西的耕田技术已臻于完善，农民们主要通过深耕和精耕来提升土地产出。其中最具代表性的开沟作畦技术，不仅在当时得到广泛应用，其核心原理至今仍在现代农业中延续使用。这项技术特别适合南方多雨的气候条件，通过“畦欲阔，沟欲深”的耕作方式，既保证了土壤墒情，又有效防止了涝害。

其二，作物种植结构多元发展。虽然水稻仍是主导作物，但旱地作物的种植技术也取得了显著进步。以棉花种植为例，《农政全书》详细记载了从“棉田秋耕”到“清明前作畦畛”的一整套技术规范，强调“土欲绝细”的精细化管理要求。这种标准化的耕作方法不仅解决了湿涝问题，还大幅提高了作物产量。

其三，种植制度的创新尤为突出。为提高土地利用效率，广西农民发展出了丰富的多熟种植模式。据《中国农业史概论》，双季稻种植区从传统的闽、粤、浙地区扩展到广西主要流域，部分地区甚至出现了三季连作稻。同时，各种间作套种模式如粮豆间种、稻薯套种等得到广泛推广，这些创新大大提升了单位面积产量和劳动效率。此外，水利建设方面，明代广西取得了显著成就。以洪武年间重修灵渠为代表的大型水利工程，直接惠及周边万顷农田。这些水利设施与精耕细作的技术

《天工开物》中的耕耘图

体系相互配合，共同构成了明代广西农业发展的技术支撑，展现了当地农民因地制宜的智慧。

“惟愿万宇内，比户免饥寒。”随着农业的发展，民众得以免于饥馑，广西当地百姓安居乐业，其他地区的人民也满怀希望地迁移至广西，大家共同勤恳地劳作，延续着对生活的希望。而农业的发展，又带动了手工业、商业经济的发展，进而促进了市镇的兴起和大型都市的出现。在此背景下，桂林成了岭南地区最为繁荣的大都会之一。

明代广西的矿冶业与手工业

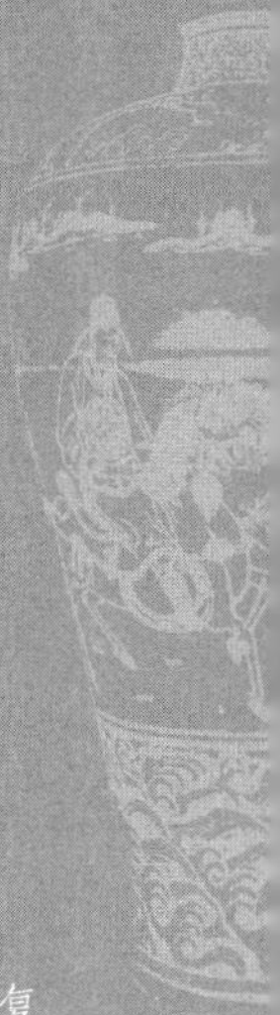

南丹州，洪武七年七月置，二十八年废，寻复置。西有孟英山，旧产银。南有都泥江，自贵州定番州流入。东距府二百四十里。

——张廷玉等《明史》卷四十五《地理志六·广西》

明代广西的矿冶业与手工业，在中央王朝的开发政策与地方资源的双重作用下，形成了独具特色的产业格局。作为边疆省份，广西素有“有色金属之乡”之美誉，其地下矿藏丰富，锡、银、铅锌、铁等金属矿产的开采自唐宋以来便持续不辍。明代，矿冶业在官府管控与民间经营之间逐步发展，成为广西经济的重要组成部分。与此同时，依托本地物产和民族工艺传统，广西的手工业亦呈现出多元面貌，陶瓷业、纺织业、造纸业、酿酒业等手工业繁荣兴盛、享誉南北。

矿冶业发达

明代，广西的矿业以丰富的锡、银、铅锌、铁等资源为依托，尤其以锡矿开采闻名全国。

锡矿核心产区为南丹州与河池州，以矿脉深、品质优著称。《天工开物》对广西的锡矿有详细记载：锡这种金属在中国主要产于西南地区的郡县，东北地区则很少出产。古书中将锡称为“贺”，这是因为临贺郡的锡矿产量非常丰富。如今，供应全国所需锡的主要产地是广西的南丹、河池两地，它们占据了全国锡产量的八成，湖南的衡阳、永州则位居其次。虽然云南的大理、楚雄等地锡矿也很丰富，但由于路途遥远，运输困难，因此供应较少。锡分为山锡和水锡两种。山锡中又有锡瓜和锡砂两种形态。锡瓜的形状像小型葫芦，体积较大；锡砂

《天工开物》中的采锡矿、炼锡矿图

则像豆粒大小。这些锡矿都埋藏得不深，容易开采。有时，土壤中的锡矿脉非常丰富，甚至会导致山体自然崩塌，使得人们可以轻易地拾取到锡矿。至于水锡，在湖南衡阳、永州主要产于溪流中，而在广西则主要产于南丹州的河里。这些水锡呈黑色，细碎得像是经过罗筛重重筛选过的面粉一样细腻。银矿产于南丹州孟英山等地，但品质较低，冶炼成本高。铅锌矿产于融县。铁矿产于桂北地区。

采矿技术主要有井巷开采法和冲沟开采法。根据《徐霞客游记》的记载，井巷开采法在开采南丹锡矿时得到应用，矿工们通过挖掘地下平巷深入数里，依据矿脉的走势分层进行开采。而冲沟开采法则适用于部分露天矿场，通过开凿沟渠来剥离表层的土石，从而获取浅层的矿砂。书中描述：在南丹河沿岸，居民们每隔十日便从河的南岸淘洗到北岸，然后又从北岸淘洗回南岸。经过不断地淘取，河砂中的锡矿日益增多，仿佛取之不尽，历经百年仍未枯竭。然而，尽管他们终日辛劳，每日通过淘洗、煎炼所得的锡也不过一斤。算上烧炭的成本，实际上所获并不多。至于南丹的山锡，位于山的背阴处，由于那里没有水流可供淘洗，矿工们便连接数百根竹子制成水槽，从山的阳面引水淘洗泥土和碎石，再将洗净的矿砂送入熔炉。

《天工开物》和《徐霞客游记》详细记录了锡和银的冶炼工艺。锡冶炼法：矿砂经淘洗去除杂质后，与木炭一同入炉煅烧，加入少许铅或者炒锡的剩灰，最终制成锭。银提取法：矿砂需多次焙烧、水洗方能提取出微量的银，大概三十斤矿砂仅得银二钱。

明代，广西的矿产资源以南丹地区的锡矿最具代表性，且南丹是当时全国锡矿的主要产地。锡主要用于制造青铜器与日常生活使用的锡器。锡在古代具有稀缺性，因此它成为古代工匠与商人竞相追逐的宝贵资源。

陶瓷业、纺织业、造纸业

明代，广西陶瓷业在继承前代技术的基础上，进一步发展出具有地方特色的产品，并在贸易和文化交流中扮演了重要角色。

据现代学者研究，明代广西的陶瓷生产以北流江流域为核心，窑址分布于容县、浦北等地。其中，容县的城关窑和北流的岭垌窑为著名的青白瓷窑，盛产瓷器且十分精美。虽然两口窑创烧于北宋，且活跃的时期主要在两宋，但是其精湛的制瓷技术与沉淀的瓷器文化对明朝在内的后世产生了深远的影响。明朝时，容县、北流仍有部分地区烧制瓷器，广受欢迎。2013年，在南宁仙葫开发区邕江沿岸发现了首个明代民窑遗址（三岸窑址），出土了陶瓷碎片，证实了南宁地区在明代的制瓷活动。这些窑址的广泛分布以及完好保存，侧面反映出广西当时陶瓷生产的盛况。

明代广西陶瓷业最具代表性的产品当属青花梅瓶。梅瓶作为一种传统瓷器形制，其造型特征为小口、短颈、丰肩、瘦底、圈足，因瓶口狭小适宜插梅而得名。这种器型肇始于唐代，至宋辽时期已广为流行，兼具实用酒器与观赏陈设功能。值得注意的是，作为明代广西政治文化中心的桂林，成为青花梅瓶的重要集中地。1972年靖江王陵考古发掘中出土的300余件梅瓶，数量之巨令人瞩目，其中青花梅瓶就达260余件，充分展现了当时广西上层社会对这一器物的偏爱。经考古研究证实，这些梅瓶均为靖江王府特意在景德镇订制，经长途运输抵达桂林，作为王室贵族的奢侈用品，最终随葬于陵墓之中。这批珍贵的出土文物不仅展现了明代广西与江西景德镇之间的工艺交流，更成为研究明代藩王制度与物质文化的重要实物资料。如今，这些精美绝伦的桂林梅瓶已成为广西历史文化的重要标志，有学者甚至称桂林为“梅瓶之乡，桂林一绝”。

广西出土的明代梅瓶

广西虽不是当时陶瓷制造业的核心区域，但已经有本土的技术特色与产品创新。如容县城关窑在北宋时期已掌握高温铜红釉和铜绿釉的烧制技术，并在明代延续并优化了这一工艺，生产出色彩鲜艳的瓷器。钦州坭兴陶在明代已有技术积累。广西北流陶瓷年产量巨大，其生产的瓷器成为海上贸易的重要商品，也为中外文化交流做出了重要贡献。广西瓷器通过水路（如北流江、西江）运至广州，再经海上丝绸之路销往东南亚及更远地区。

纺织业是广西历史悠久的传统家庭手工业，在明代得到进一步的发展。据嘉靖《广西通志》简略记载，明代广西的纺织品就有葛布、棉绸、苎麻布、棉布、青麻布、青布、蕉布等品种。其他地方志记载的品种还有斑布、凤眼布、土布、吉贝、瑶布、络布、竹布、缕、练子、皮布、乌章（土绢）、壮锦、土锦、宁峒布、郁林布、长麻布（夏布）、勾芒布、兼丝布、白叠布等。由此可见当时广西的纺织品各类已经比较丰富。

明代，广西桂林、平乐、梧州等十府的纺织业蓬勃发展，还有一些地方出产特色布料，如凤眼布出自全州，土布出自义宁，斑布出自迁江，长麻布（可为线及夏布）出自隆安、新宁等。此外，明代广西纺织业在技术上也有了进步，如当时侗族人民用的水平架机有所改进，织纬和打纬合二为一，提高了织布效率。万历年间，宾州的妇女已用高机织布，比侗族人民所用的水平架机的技术又更进了一步。

与此同时，随着明代学校的推广和儒家教育的普及，明代广西的文教事业繁荣，这带动了造纸业的发展。徐霞客游粤西时记载了广西上林的造纸情况：“韦龟峒位于城西十里处的韦龟屯，那里数十户人家依山的北麓居住，他们以造纸为业。”由此可见明代广西造纸业之繁荣。据研究，明代广西的造纸业分布很广，北自桂林府，南至南宁府、思恩府等地都有造纸的记载。

酿酒业

明朝是酿酒业大发展的时期，其酒品的发展大大超过前朝。明代对酿酒业采取相对宽松的管理政策：洪武末年，朝廷允许民间自设酒肆。正统初年，朝廷将酒税改为地方税，进一步减轻了酒商负担。此后，由于酿酒的普遍，不再设专门管酒务的机构，酒税被并入商税。广西的酿酒业发展具有明显的气候与原料优势，其亚热带气候为谷物和水果发酵提供了天然条件。湿热气候加速了葡萄、糯米等酿酒原料的发酵过程，所以明代广西的酿酒业发达，酒类繁多。

德胜红兰酒。该酒源自明朝末年，距今已有三百多年的历史。它产于今广西河池市宜州区德胜镇。德胜红兰酒的酿制原料以糯米为主，以红蓝草为辅。酿制时，先将红蓝草洗净，用锅炒煮，提取红蓝汁。然后，将大糯米饭用甜酒曲发酵成甜酒，用于浸泡红蓝汁。另用大米、小曲酿成60度底酒冲兑甜酒，入缸密封，放入岩洞内贮存一年以上。这种独特的酿造方法使得红兰酒既有糯米甜酒的原味，又融入了红蓝草的芳香。德胜红兰酒色泽鲜红，红蓝草芳香浓郁，余味绵长。清代诗人郑献甫曾以“人言德胜酒，色夺洞庭绿”“闻香十里远，开坛千人醉”赞颂红兰酒。

古辣泉酒。该酒以宾州与横州交界处的古辣泉水酿造。酒瓮直接埋在土中，过一段时间后取出，酒色红且味甘，可以远销外地且不易变质。

钦州滴酒。它以糯米粉制成的草药酒饼为酿制原料。酿制时，将糯米蒸成饭后制成粉饼，以篾器（可能是竹编容器）盛放并盖上，不浇水，待其水汽蒸发而自然滴出水浆，用瓷器承接，所以得名滴酒。产于灵山的滴酒尤为佳美。

丹泉酒。其历史可追溯至秦汉，明代因徐霞客游历南丹而闻名。其产地南丹的“洞天酒海”是天然的藏酒洞，丹泉酒融合酱香与米香，后成为宫廷御宴用酒。

明代广西的矿冶业与手工业繁荣发展，共同构筑了广西作为边疆省份独特的经济文化图景。矿冶业以锡、银等金属开采为支柱，不仅为全国提供了重要的战略资源，更推动区域经济特色的形成与发展；而陶瓷、酿酒等特色手工业则依托本地物

广西南丹“洞天酒海”

产与民族智慧，创造出兼具实用价值与艺术魅力的工艺精品。这些产业不仅满足了当地需求，有些产品更通过海上丝绸之路销往东南亚及更远地区，展现了明代广西经济在全国经济格局中的独特地位。

固守桂林的瞿式耜

五年二月，南安侯郝永忠驻桂林，恶城外团练兵，尽破水东十八村，杀戮无算，与式耜构难。式耜力调剂，永忠乃驻兴安。大兵前驱至灵川，永忠战败，奔入桂林，请王即夕西走。式耜力争，不听。左右皆请速驾，式耜又争。王曰：“卿不过欲予死社稷尔。”式耜为泣下沾衣。王甫行，永忠即大掠，捶杀太常卿黄太元。

——张廷玉等《明史》卷二百八十《瞿式耜传》

瞿式耜（1590—1651年），字起田，江苏常熟人，明万历进士。他出身于书香门第，祖父是礼部侍郎瞿景淳，父亲是湖广参议瞿汝说。他在明清战争中发挥了重要作用。

明亡之际，择主而忠

明亡之际，局势动荡不安，诸多人物与事件深刻地影响着历史走向。清军入关后，开始全国统一战争，铁骑自湘入桂，其势迅猛，攻陷全州等地后，直逼桂林。此刻应备战迎清军的桂林城内，一片死寂，唯有呼啸的北风中似乎裹挟着远方兵甲

瞿式耜像

和战场血腥的味道。南明将士皆弃城出逃，官府衙门内，却有两位官员饮酒和诗，然后肃然坐立在正堂之间，目光如水，静静地等待清兵入城。这二人，一人名瞿式耜，正如其所留绝命诗："从容待死与城亡，千古忠臣自主张。三百年来恩泽久，头丝犹带满天香。"另外一名为张同敞，时任兵部侍郎，与瞿式耜相约，慨然赴死。他亦留自诀诗："一月悲歌待此时，成仁取义有天知。衣冠不改生前制，名姓空留死后诗。破碎山河休葬骨，颠连君父未舒眉。魂兮懒指归乡路，直往诸陵拜旧碑。"

瞿式耜为万历四十四年（1616年）的进士，初授吉安永丰知县一职，在任期间施惠政、恤百姓，政绩斐然，朝廷欲将其调往江陵任职，然而永丰百姓极力挽留，朝廷遂命其留任。其在地方任职时造福百姓，在中央任职时则直言敢谏，后升任户科给事中。此官职在明朝极为关键，肩负监察六部、纠弹官员之重任。任职期间，瞿式耜向皇帝所荐的内阁、吏部、户部、兵部等官员人选，皆中肯恰当，多被皇帝采纳。瞿式耜师从钱谦益，因钱谦益与周延儒政治斗争而受牵连，遭贬谪，后闲居在家。

崇祯十七年（1644年），李自成攻陷北京城，崇祯皇帝在景山自缢身亡，明朝政权覆灭。清军入山海关后，清朝定鼎北京。但是明朝宗室与一些旧臣还在继续抗争，欲图反清复明。首先是福王朱由崧在南京建立弘光政权，起用瞿式耜为应天府丞，不久升其为右佥都御史，巡抚广西。次年夏天，瞿式耜抵达广西梧州后，弘光帝被俘，南京陷落。此时，在广西就藩的靖江王朱亨嘉想要称帝。瞿式耜巡抚广西，乃是要员，自是成为其拉拢的对象，但瞿式耜不仅拒绝了靖江王，而且阻止其他军士听从靖江王的调遣。瞿式耜支持的是桂端王一脉。桂端王朱常瀛，是明神宗的第七个儿子，就藩衡州（今湖南衡阳）。最初的时候，瞿式耜即主张立桂端王之子安仁王朱由楥。清顺治二年（1645年）闰六月，唐王朱聿键在福州称帝，改年号为隆武。隆武帝建国时，瞿式耜以伦序不当，并不正式承认其政权。但此时由于瞿式耜已经被靖江王幽禁起来，便只能派使者前往道贺，顺势请求援助。隆武帝大喜，而靖江王此时又遭两广总督丁魁楚围攻，形势极为窘困，于是不得已释放了瞿式耜。瞿式耜身获自由后，随即就与中军官焦琏等，共同抓获了靖江王，隆武帝便提升他为兵部右侍郎，共同协理军政，但随后又派他人接替其位。瞿式耜始终不认同隆武政权，不入朝，转而退居广东，继续为拥立桂端王一脉奔走。

奔走两广，力抗清军

明朝政权灭亡前夕，农民起义军已经攻陷衡州，桂端王不得已逃亡广西，随后居住在梧州。桂端王病逝于梧州，其次子安仁王不久也去世，其第四子朱由榔继位。清顺治三年（1646年），隆武帝被俘后，时任广西巡抚的瞿式耜与两广总督丁魁楚、巡按王化澄等共同推举朱由榔监国。朱由榔的母妃王氏深知其子非济世之才，拒绝了这个请求，让诸大臣选择更适合的人监国。但是瞿式耜与丁魁楚等意志坚定，到梧州迎接朱由榔，终将这位庸懦的藩王推上历史舞台。

瞿式耜竭尽全力为腐朽的南明朝廷争取一线生机，却更加暴露了明朝宗室的腐朽无能。隆武帝之弟朱宗鐭（yù）从福建自海上逃到了广东，苏观生、顾元镜、林察等官员拥立他建立了绍武政权。朱由榔也不遑多让，当月在瞿式耜等人的支持之下于肇庆建立了永历政权。两个明朝宗室及他们身边的臣子们在山河飘摇之际，不相互合作、齐心协力，反而陷入激烈的内讧，以至于兵戎相见。永历帝派遣总督林佳鼎领军与绍武政权苏观生带领的士兵激战时，清军乘虚而入，从福建南下广东，绍武政权因腹背受敌很快灭亡，苏观生自缢，很多官员死于战争。身处肇庆的朱由榔大为惊惧，连忙逃往梧州。第二年二月时，清军在广东步步紧逼，梧州也不再安全，朱由榔从浔州、平乐逃到桂林，并想前往湖广，寻求庇护。丁魁楚等再也支撑不住，放弃了朱由榔，南下岑溪，向清军投降。

在此危亡之际，瞿式耜等人展现出令人动容的忠贞气节。当朱由榔欲弃守桂林时，瞿式耜力陈“桂林为八桂咽喉，失则大势去矣”的战略意义，并在朱由榔不愿留守的情况下，自请留守。朱由榔于是升瞿式耜为文渊阁大学士兼兵部尚书，且赐剑，准许他相机行事。此时，浔州、平乐已经相继失陷，桂林告危，官员们慌忙四处逃窜，有总督侍郎逃往灵川，有巡按御史逃往融县，布政使、桂林知府等更是逃得毫无影踪。只有瞿式耜与通判郑国藩、县丞李世荣以及都司林应昌、李当瑞、沈煌等人坚守城池。

面对城墙倾颓、粮饷断绝的绝境，瞿式耜一方面与焦链等团结一心、与士兵们同甘共苦，另一方面想尽办法凑粮饷，他的妻子把自己的簪子、耳环等首饰都捐了出来，为军士们凑粮饷。正是这种“城存与存，城亡与亡”的决绝，激励将士在焦琏的率领下浴血奋战，桂林城几次险些被攻破，但守城将士无人有背叛投降之心。三个月后，随着陈邦彦反攻广州，清军掉头前往广州，桂林的危机得以暂时解除。随后，焦琏又相继收复阳朔、平乐等地，浔州、梧州也得以夺回，广西局势暂时得以稳定。是年十二月，惊魂稍定的永历帝方重返桂林。

南明覆灭，已成定势

两广的战事反复地胶着。顺治五年（1648年），南安侯郝永忠驻守桂林，他竟然以厌恶城外团练兵为由，摧毁了水东石十八村，在大军压境之际激化了内部矛盾。瞿式耜居中斡旋，极力调停，终于让郝永忠同意驻扎在兴安。清军再次攻至灵川时，郝永忠战败，逃进桂林城，并请求朱由榔连夜向西而逃，瞿式耜力劝请留。朱由榔左右之人都请求他快点起驾逃走，瞿式耜再次劝说。此刻的朱由榔，完全不顾及瞿式耜等坚守桂林三个月并收复广西之功，情急之下脱口而出：“卿不过是想让我以身殉江山社稷而已！”瞿式耜闻言，满腔的悲怆化作泪水滚滚而下，沾湿了自己的衣襟，此刻他默言垂泪，再也无力劝说什么。

君臣泪别后，桂林城陷入了分崩离析的境地。朱由榔刚刚离开桂林城，郝永忠就大掠府城，捶杀朝廷官员，连瞿式耜家也未能幸免于劫掠，其家人都是以假传何腾蛟的令箭才得以出城避难。中午时分，赵印选等部也从灵川过来，又抢掠一番。随后他们分头逃往柳州、永宁。瞿式耜不顾家中被掠，耐心地开始进行善后工作，安抚城中的百姓。焦琏以及其他各路将领也各自率领军队到达桂林，随后，何腾蛟也到达桂林，与瞿式耜商议对策。他们决定把各地分给众位将领，让他们各自为守，各自出力，在兵乏粮缺的情况下，这政策无疑具有很强的激励性。三月，清军听闻桂林有变，前来攻打。何腾蛟等率领诸将奋力抵抗，桂林城再次得以保全。此时朱由榔已经逃往南宁，瞿式耜派使者前去慰问，他才知瞿式耜无恙，不禁大喜而泪流不止。

次年春，清军已经稳固好北方，再次组织大规模的南下，攻下湘潭，与瞿式耜一同并肩作战的何腾蛟战死。清兵越逼越近，而朱由榔奔走于两广间，从肇庆又逃到梧州，无力还击。朝廷不同派别也仍在为各自的利益争论不已，无法团结一致。朝臣互相诋毁倾轧，粮饷缺乏，局势越发危急。

十二月的桂林城，风尤为凛冽。自上一年清兵攻下湘潭后，一路南下。九月，全州城破，清军逼近桂林。此时，开国公赵印

瞿式耜、张同敞成仁处

选驻扎桂林，卫国公胡一青守榕江，他们与宁远伯王永祚却都因为惧怕不敢出兵。清军很快攻入了严关，严关乃桂林门户，门户已开，再难抵御。十一月，瞿式耜做最后的努力，檄令赵印选出军，赵印选不肯，众将全部逃走。当王永祚投降，迎接清军入城时，城中已空无一兵。部下不舍，请求瞿式耜上马速走，他坚决不肯，呵退了部下。随后，张同敞到，二人誓言相约，一同赴难，相对饮酒至深夜，秉烛正襟危坐，肃然等待清军的到来。至黎明时分，敌军数骑至，瞿式耜说道：“我们二人待死已经很久了。”次月十七日，他们就刑赴死，为明朝殉难。

瞿式耜身处乱世，以其坚韧和忠诚在南明历史上留下了浓墨重彩的一笔，虽未能扭转乾坤，却也展现出了一位传统士大夫在王朝末路时的挣扎与担当。

人口迁徙与民族交融

通省如桂（林）、平（乐）、梧（州）、浔（州）、南宁等处，皆民夷杂居，如错棋然。

——王士性《广志绎》

明朝时期的广西各民族交往交流交融，主要缘于商业贸易的发展、军事方面的移民与农业开垦的需要，呈现出以商业、军事、农业为核心的人口流动特征。

人口变化与商业发展

人口的变化，能够对各民族交往交流交融起到促进作用。《中国人口史》的研究显示了明朝时期广西人口增减的总体情况：万历《广西通志》卷十七《财赋志》将后湖志中所载洪武二十六年（1393年）广西户口数记作洪武初年数。是年广西户数为211263，口数为1482671。弘治十四年（1501年），广西在籍户口增长，户数为459640，口数为1676274。嘉靖元年（1522年）户数减少至186090，口数减少至1054752，以后的户口数更是大幅减少。虽然受技术条件等限制，在古代社会想要精确地统计出实际人口非常困难，以上数字不一定精准，但是研究者还是尽可能地寻找出贴近历史的地方人口变化规律。

明朝初期，广西人口不断增长，在中期则反向变化，这符合当时广西地区连年战争所导致的人口锐减的历史情况。前期的人口增长为各民族交往交流交融提供了坚实的基础，湖广地区与广西地区的人口迁徙不仅促进了文化的交融，还营造了和谐的社会氛围。而后期人口的减少，则成为清代湖南、广东等地民众大规模进入广西的契机。

明朝时期，商业方面的广西各民族交往交流交融较为普遍。据学者们研究，明代广西贸易发达，有来自全国不同地区的商人，如广东商人、湖广商人、江西商人、江浙商人等。梧州乃水陆要冲之地，上接湖南，下达广州，舟车辐辏，商贾云集，是多省交汇之枢纽，贸易之中心，嘉庆《广西通志》记载：“客民闽、楚、江、浙俱有，惟广东接壤尤众，专事生息，什一而出，什九而归，中人之家数十金之产，无不立折而尽，充兵戍衙役，急即逃去，多翁源人。习文移，持刀笔为府书吏，仰机利而食，遍于郡邑，多高明人。盐商木客列肆当垆，

梧州士民惟知力穡罔事藝作尚師巫市多婦女椎髻跣足糶穀賣薪婚聘多用檳榔男女不行醮禮兄弟互稱姊妹叔姪每喚公孫男多出贅稱曰嫁而有其婦翁之產女招壻稱曰娶而以已產與之甚至男更姓以從女或於男姓複加女姓永不歸宗女既受聘改而他適亦恬不爲意性頑悍而輕生凡逋糧避差與睚眦小怨即投山服毒毒草名葫蔓一名斷腸羊血熊膽急灌之或甦遲則無救矣信訟師至破其家游手之徒博弈爲生奸民攬糧土豪鎖酷隨處有之客民閩楚江浙俱有惟廣東接壤尤衆專事生息什一而出什九而歸中

廣西通志卷八十八輿地九　五

（嘉庆）《广西通志》中关于客民的记载

多新顺、南海人。”客民，指的是从外地迁居到某地的人，通常指移民或外来人口。在史料中，客民多指因战乱、灾荒或其他原因离开原籍，迁居到其他地方谋生的人群。他们往往在当地从事农业、商业等，成为当地社会的一部分。梧州繁华，各地的外来人口都迁移而至，尤其以广东的最多。来自广东的外来人口有翁源、高明、南海等地之人，籍贯详细，他们或从事放贷生意，或在官府任书吏，或贩盐贩木。

军事移民与社会变迁

明代军事移民较为频繁，这跟明代军事制度密切相关。明代中期以前，地方军事以卫所制度为主。这种守屯合一的跨区域调兵力驻守制度，直接促成了跨区域的人口流动。前文介绍的临桂进士吕调阳即因军事移民来到广西。吕调阳为桂林中卫人，祖籍湖北大冶。据郑维宽、范玉春等学者研究，明代广西移民群体主要是汉族，汉族融入的地区又以广西中东部的桂林、平乐、梧州、柳州等地为主：“明代以卫所为依托对广西的军事移民迁移规模很大，人数众多；移民来源广泛，其中又以来自广东、湖广和江西的移民为主。移民在广西的分布相对集中，主要分布在桂林、南宁等政治中心以及沿江交通要道。这种分布格局对广西社会和文化发展产生了深刻影响。”军事移民的高峰时期主要集中在洪武、永乐和成化年间。

跨区域、远距离的移民与广西当地人的融合引发了社会文化的巨大变迁，有研究认为，湖广籍卫所官军在桂北地区的高密度分布，最直接的后果便是造成了这一地区方言的变化。自中唐以后，今湖北大部和湖南西北部地区已形成稳定的西南官话分布区，至少自明代中后期起，以桂林为中心的桂北地区（今广西灌阳、全州、资源三县及兴安乡村除外）各城镇基本已形成了西南官话的通行地区。湖北移民加速了广西桂北地区的语言变化，扩大了西南官话的通行范围，今桂林方言的主要特征，如前后鼻音不分，n、l相混，声调分类简单等，几乎与湖北话同出一辙。而语言方面的交融还体现在广西接近广东的地区，形成了粤语区。

广西各府、州、县之间的人口迁徙也进一步促进了各民族交往交流交融。《明史·殷从俭传》记载，殷从俭在用兵古田时向朝廷上书，对广西区域内的军事力量分化与人口再分配提出了建议。殷从俭说，历史上，广西由俍兵防戍，各地得以安宁，百姓虽然偶有出没为寇，但没有形成大规模的威胁。近年来议减俍兵，替之以募兵，后来又将募兵尽数撤离，以福建、浙江的客兵来戍守，导致形势变得不可控制，地区动荡。鉴于此，现在申请调动南丹、东兰、那地三州的土官，让他们统领两到三万的俍兵来戍守，并把闲田分配给俍兵，让他们耕种，土官能从土地上获得收益，而古田肥沃的土地也能得到充分开垦。殷从俭建议的跨州县的军事调配结合土地分配，实际形成了军事移民，在有利于明廷的军事作战的同时，也促进了来自南丹、东兰、那地三地的俍兵与当地民族之间的融合。他的建议大部分得到了采纳。客来之俍兵在古田转化成了本土之人，与编户之民没有差异，广西地区的各民族交往交流交融进一步深化。

跨区域的少数民族人口流动在明朝的时候也多有记载。出土自桂林恭城的《瑶目万历二年石碑古记》碑刻记载了瑶族的人口流动，内容大意为："我们诚恳请求颁发赏赐凭证。七姓良瑶（指品行良好的瑶族）首领赵中金、邓金通、赵进珠、邓启音、郑元安、盘金童等人，原本居住在广东德庆州肇庆府铁莲山封川县一带，后来迁入广西恭城县平源地区。当时正值雷伍虎起事，当地招抚官员黄某某、黄明、李富山听闻广东有品行良好的瑶人，便招揽他们协助朝廷军队。这些瑶族民众自洪武年间下山，于景泰元年（1450年）闰三月初三日进驻平源，剿灭了叛军首领雷通天、李通地，使贼寇溃散。朝廷因此赏赐这些良瑶，命他们驻守山间要隘，开垦山地，在此安居乐业。"这则史料详细地记载了当地瑶族是从广东迁徙至广西的。

河池环江毛南族自治县下南乡《谭家世谱碑》也对先祖融入广西的过程有详细的记录："我们的始祖谭三孝，原籍湖南常德府武陵县东关外城太平里通长街古灵社，曾任河池州知州。嘉靖元年（1522年），他考中第八名举人，次年会试又高中进士。然后，他出任广东肇庆府高要县知县，后经提拔，调任广西庆远府河池州知州。在任三年间，当地遭遇矿厂水灾，需上缴八千两税银却无力筹措，因而被革职归田，流落异乡。

他先逃至如来木锅山隐居，因官府追查又迁至孤波里喇桥，以打鱼、砍柴为生。奈何山林偏远，渔猎艰难，难以维持生计，又逃往三百洞塘口，靠打猎度日数载。因野兽横行、虫害肆虐，最终移居毛南苗族聚居区，以经商为业。初来时语言不通，不谙当地以酸味为主的饮食习俗，见妇女衣着简朴无裙。后遇风水先生康节为其指点龙脉，择得一处风水宝地安葬先父，自此家运渐兴。幸得挚友方刚振相助，先结为金兰，后结为姻亲，生儿育女，子女皆聪慧过人。随着苗、瑶族人逐渐迁居四方，我们在此定居耕作，自给自足，渐渐通晓当地语言，置办田产家什，日渐富足。与人交往和睦，婚嫁往来体面，可谓人杰地灵，家族兴旺。特此记录世系源流，望子孙后代永志不忘。嘉靖十三年（1534年）五月下旬自序。”这则史料详细介绍了谭氏家族融入河池环江毛南族民族地区并在当地扎根生存的生动过程，是其他地区民族融入广西民族地区的珍贵个案。

明朝时期，广西地区的民族交往交流频繁，究其原因，复杂多样。有持气候变化说者，认为明朝“小冰期”的出现，促使人口流动向更为温暖的南方地区。也有学者认为是战争人口变化、人地资源分配不平衡导致了人口迁徙。总之，明朝广西地区的各民族交往交流交融进一步深化，为清代广西地区的繁荣发展奠定了基础。

主要参考资料

[1] 张廷玉等：《明史》，中华书局，1974年。

[2]（嘉靖）《广西通志》，广西人民出版社，2018年。

[3]（万历）《广西通志》，广西人民出版社，2013年。

[4] 汪森辑，黄盛陆等校点《粤西文载校点》，广西人民出版社，1990年。

[5] 汪森辑《粤西诗载》，清康熙四十三年汪氏梅雪堂刻雍正印本。

[6] 汪森辑《粤西丛载》，清康熙四十三年汪氏梅雪堂刻雍正印本。

[7] 曹学佺辑《石仓十二代诗选》，民国二至六年乌程张氏刻适园丛书本。

[8] 谷应泰：《明史纪事本末》，中华书局，1977年。

[9] 徐弘祖：《徐霞客游记》，上海古籍出版社，2016年。

[10] 潘茨宣、梁宇广：《中华文明史上的广西人》，广西师范大学出版社，2008年。

[11] 中国人民政治协商会议广西壮族自治区委员会编《广西历史名人》，广西师范大学出版社，2012年。

[12] 刘祥学：《广西简史》，漓江出版社，2018年。

[13] 刘硕良、郑维宽：《广西读本》，漓江出版社，

2018年。

［14］周长山、刘祥学、宾长初主编《广西通史·第五卷·明代卷》，广西师范大学出版社，2019年。

［15］谭其骧主编《中国历史地图集》，地图出版社，1987年。

［16］广西壮族自治区通志馆编《二十四史广西资料辑录（四）》，广西人民出版社，1989年。

［17］钟文典主编《广西通史》，广西人民出版社，1999年。

［18］唐兆民编《灵渠文献粹编》，中华书局，1982年。

［19］刘建新：《灵渠》，广东人民出版社，2010年。

［20］龚荫：《中国土司制度史》，四川人民出版社，2012年。

［21］郭培贵：《中国科举制度通史·明代卷》，上海人民出版社，2015年。

后记

在中华文明的历史长河中，广西是一个不可忽略的南方坐标。

一方面，广西先民依山逐水，以身躯为笔，以血汗为墨，绘制出壮美的历史丹青。在各民族交往交流交融中，八桂渐变为文明之域。在此进程中，广西的天地之境、人物之英、事功之变，自是多有令人兴思回味之处。

另一方面，历史并非完成时态，而是一个开放的问题田野，用时代视角来解读旧日天地，是一个“其命维新”式的永恒命题。在这个层面，广西文明的意义触角一如山之落脉、水之旁流，延展、分叉、变化，最终融汇为可资推阐的“无尽藏”。

为了呼应时代的需求，彰显广西的历史底蕴和文化特色，在广西壮族自治区党委宣传部的组织策划下，广西人民出版社以弘扬中华优秀传统文化、铸牢中华民族共同体意识为导向，以20世纪80年代出版的《二十四史广西资料辑录》为基础，出版《正史里的广西》（五卷本），讲述中华文明发展中的广西故事。

为讲好正史里的广西故事，广西人民出版社邀请中国史学会副会长、北京大学历史学系原主任张帆教授担任编委会主任，广西民族大学历史系四位学者组成撰写团队，广西民族大学民族学与社会学学院王柏中教授、郝国强教授担任顾问。《正史里的广西》共分“先秦秦汉魏晋南北朝”“隋唐”“宋元”“明代”“清代”五卷。各卷依据不同时代正史的材料，拟定了类型多样的专题，其中既有对单一人物、事件的浓描，也有对历史发展脉络的梳理；既有对历史名人的重点书写，也有对整体自然环境、物质文化、社会生活的统览。

《正史里的广西》五卷本的基本内容如下：

第一册“先秦秦汉魏晋南北朝卷”，由韩周敬撰写。以《史记》《汉书》《后汉书》《三国志》《晋书》等史书为主要史料来源，围绕先秦至南北朝时期与广西有关的重要人物、事件，梳理了陈钦、陈元、孟尝、士燮、牟子、陆绩、绿珠、葛洪、颜延之等人的行迹，叙述了灵渠的开凿、秦朝岭南三郡的建置、汉武帝平定南越、海上丝绸之路的开辟、吴国的交广分治等重要史事。此外，本卷还对骆越先民的生活图景、句町方国的历史、广西的天文分野、独特而多元的饮食、与人类共生的动物、岭北对广西的文化想象等专题进行了论述，生动揭示了先秦至南北朝时期广西历史的丰富面貌。

第二册“隋唐卷”，由滕兰花撰写。以《隋书》《旧唐书》《新唐书》等史书为主要史料来源，参照文集等文献，并对重要撰述对象进行田野调查。隋唐时期，广西本地英杰辈出，如赵观文、曹邺等，也有不少南来的名人，如裴矩、令狐熙、柳宗元、李商隐、鉴真等，本卷对他们与广西的关系做了较为细致的探究。此外，对南选制度、潭蓬运河、相思埭运河、风物土产和民间艺术等也进行了饶有兴味的论述。

第三册“宋元卷”，由龙小峰撰写。以《宋史》《元史》为主要史料来源，辅以地方志、文集和碑刻等相关材料。选取宋元时期较为典型的相关历史人物或事件，如周渭、曹克明、范成大、周去非、苏轼、萧注、李师中、苏缄、岳霖、马塈、史格、黄圣许等，以他们在广西的事迹为主线，侧重从政治、军事、经济、文化等方面，展现宋元时期中央王朝对广西乃至南疆的经略，以及广西在中央王朝经略背景下日益融入国家治理体系的过程。

第四册“明代卷”，由邓平撰写。以《明史》为主要史料来源，参照《明实录》《明会典》及地方志、文集等相关文献，选取明代与广西有关的典型历史人物，如朱守谦、岑瑛、孝穆纪太后、蒋冕、王阳明、瓦氏夫人、徐霞客等，以他们的生平事迹为论述核心，着力呈现明代国家治理下的广西社会情况。此外，本卷对布政使司、土司制度、卫所、人口迁徙与民族交往交流交融等主题也做了简要梳理。

第五册“清代卷”，由邓平撰写。以《清史稿》为主要史料来源，参照《清实录》《大清会典》及中国第一历史档案馆馆藏档案、地方志、文集、碑刻等相关文献资料，选取清代与广西有关的典型历史人物，如石涛、于成龙、汪森、甘汝来、金鉷、陈宏谋、苏元春、岑春煊、康有为等，讲述他们在政治、经济、文化等各领域的贡献，以及他们对广西乃至中国历史进程的重要影响。此外，本卷对金田起义、镇南关大捷、近代新思想传入广西等重要历史事件也进行了梳理。

在写作风格上，五卷本《正史里的广西》力求图文并茂，达到学术性与通俗性的统一。在篇目布局上，按照时代先后顺序排列。各卷所参考的主要文献、著作，已罗列于正文之后。另有数量众多的参考论文，限于体例，难以对其来源一一详举，还请读者见谅。

最后，感谢广西人民出版社的信任，感谢审稿专家提出的宝贵意见。对作者团队来说，每个人物故事都是在进行古今对话，每次史料钩沉都是在重塑认知版图，每幅历史图景都是在生发家国共情，但受限于学力才识，书中难免有疏漏与不足之处，恳请读者不吝赐教。